KU-014-382

FFLUR
Lloyd Jones

Hoffwn ddiolch i'r canlynol am eu cefnogaeth hael dros y blynyddoedd:
Mike Jones, Pete Wern, Angharad Price, Marian Ifans, Gwen Williams,
David Ian Rabey, Charmian Savill, Morus a Gwenda Jones a Jon a Sarah Gower.
Diolch hefyd i'r Lolfa a'r Cyngor Llyfrau am eu cymorth parod.

Argraffiad cyntaf: 2019
© Hawlfraint Lloyd Jones a'r Lolfa Cyf., 2019

Cynllun y clawr: Sion Ilar

Rhif Llyfr Rhyngwladol: 978 1 78461 774 5

Dymuna'r cyhoeddwyr gydnabod cymorth ariannol
Cyngor Llyfrau Cymru

Cyhoeddwyd ac argraffwyd yng Nghymru
ar bapur o goedwigoedd cynaliadwy gan
Y Lolfa Cyf., Talybont, Ceredigion SY24 5HE
e-bost ylolfa@ylolfa.com
gwefan www.ylolfa.com
ffôn 01970 832 304
ffacs 01970 832 782

FFLUR

Tyf cariad
draw yn y tŷ distaw, yn troelli ac yn tacluso'n amyneddgar,
yn forwyn i'r meddwl – gyda channwyll yn ei llaw.
– *rhan o 'Les Distances' gan Philippe Jaccottet, cyfieithiad rhydd*

Rhagymadrodd

Pan fwyf yn hen a pharchus,
A'm gwaed yn llifo'n oer,
A'm calon heb gyflymu
Wrth wylied codi'r lloer;
Bydd gobaith im bryd hynny
Mewn bwthyn sydd â'i ddôr
Ar greigiau Aberdaron,
A thonnau gwyllt y môr ...

Heddiw, am naw o'r gloch, daeth y dynion i gasglu ein pethau. Pan welais y lori yn ymlwybro i lawr yr allt, heibio'r capel, dechreuais grynu, a bu'n rhaid i mi eistedd yn yr hen gadair freichiau ger y tân. Ond ymhen amser, tawelodd fy nghalon ac yna agorais y drws ar ddyfodol newydd – hollol, gwbl newydd oherwydd daeth yr amser i ymadael â'r hen fro.

Rhywbryd heno, gyda chylch o bentrefwyr o amgylch y modur, byddaf innau ac Anwen, fy chwaer, yn ffarwelio â Chwm y Blodau am y tro olaf. Gwn, yn bendant, na welaf y lle eto. Hyd yn oed os byddaf yn mynychu cynhebrwng i roi hen gyfaill yn y gweryd oer, byddaf yn ymostwng fy mhen a chau fy llygaid wrth ymlithro drwy'r hen gysgodion. Ffárwel, Gwm y Blodau. Drwy gydol fy oes, buom yn annatod. Ond heno, rwy'n gadael. Nid hawdd fydd hynny, bydd deigryn ar fy ngrudd.

Aiff yr hen aelwyd yn oer am ychydig, yna daw bywyd newydd i'r cylch. Teulu ifanc efallai, gyda phlant parablus a chi bach a beics coch a glas yn gorwedd ar y clwt o lawnt o flaen y drws. Bydd anrhegion bach yno i'w cyfarch: glo yn y grât, potyn o fêl yn y cwpwrdd a channwyll ar y bwrdd. A bydd teulu stwrllyd o adar y to yn eu disgwyl, a llygod bach yn prysur fynd a dod ymysg y cerrig yn y wal ym mhen draw'r ardd. Bydd croeso cynnes iddynt yng Nghwm y Blodau – ond bydd yn cymryd blynyddoedd lawer iddynt gael eu derbyn yn gyflawn aelodau yn y gymuned, gan mor araf yw'r hen beiriant mawr sy'n gyrru olwynion trwm y gymdeithas – bron na welir ef yn symud.

Rwy'n mynd i fyw ger y môr – nid yn Aberdaron, ond mewn hen dref ar arfordir y gogledd, lle mae cymaint o amaethwyr a'u gwragedd yn ymddeol ar ôl bywyd hir o lafur di-baid. Yno y cynhelir y mart wythnosol, a phob dydd Llun bydd y strydoedd yn byrlymu â ffermwyr sy'n gwerthu eu defaid a'u hŵyn, eu gwartheg a'u da pluog.

Darllenais yn rhywle fod y gwenoliaid sy'n ymfudo yn ôl i'r Affrig bob hydref yn glanio yma a thraw ar y daith hir, i atgyfnerthu cyn wynebu'r plwc nesaf. Byddant yn bwydo wrth hedfan, ac yna'n glanio gyda'r hwyr. Dewisant yr un hen lochesau i noswylio gyda'i gilydd, cyn hedfan ymlaen yn y bore. Rhywsut gwelaf debygrwydd rhyngddynt a thaith yr hen ffermwyr; maent hwythau hefyd yn ymorffwys ar y lan cyn mudo o'r byd hwn i'r nesaf. Man ymgynnull yw'r dref ger y môr; casglant yn haid swynol, yna ânt oddi yno un diwrnod i nythu'n bell, bell i ffwrdd yn y wlad honno na ddychwel neb ohoni.

Ond mae rhesymau eraill pam yr ymgartrefant yno wrth gwrs – rhesymau hollol ymarferol. Mae'r tir yn wastad, does dim llethrau annifyr i flino hen gyrff lluddedig. Mae'r siopau, y llyfrgell a'r capel i gyd o fewn tafliad carreg; dydi Clwb yr Efail ond canllath i ffwrdd, ac mae meinciau cyfleus yn yr ardd gyhoeddus lle caiff y dynion eistedd a phwyso ar eu ffyn a hwythau'n trwsio'r byd, fel yr oeddent yn trwsio'r tacla ar y fferm gynt. Wrth gwrs, bydd rhaid sôn am y tywydd, prisiau ŵyn, ac achau pob teulu o fewn ugain milltir neu fwy.

Oes, mae cenhedlaeth gyfan wedi mynd i glwydo yn y dref ger y don. Erys rhai yn y cwm wrth gwrs, mewn byngalos bach nid nepell o'r hen ffermdai. Byddaf yn colli gweld rhai ohonynt, ond gyda lwc mi wnaf ffrindiau newydd yn y dref. Bydd cyfarfod â nhw yn y bwytai bach ar y stryd fawr, a mwynhau ymgom hamddenol, yn dipyn o antur.

Ond fy mhrif uchelgais yw sgwennu hanes y cwm cudd yn y mynyddoedd: Cwm y Blodau. Rwyf eisoes wedi penderfynu lle i ddechrau – efo hanes teulu Dolfrwynog, gan fy mod i'n 'perthyn' i'r teulu hwnnw gymaint ag yr wyf yn perthyn i fy nhylwyth fy hun. Mae'n bwysig i rywun gofnodi popeth a ddigwyddodd yn ystod fy nghyfnod i oherwydd fod cymaint o straeon gwyllt ynghylch y digwyddiadau hynny a wnaeth Dolfrwynog yn enw mor gyfarwydd i'r holl genedl am gyfnod byr wedi'r rhyfel. Clywais sawl stori ffug, a dois ar draws mwy nag un celwydd noeth, yn arbennig yn y papurau newydd.

Mae'n rhyfedd, tydi, sut y caiff y gwirionedd ei wyrdroi dros amser, fel hen ddraenen ddu ar y mynydd. Os ewch i fyny'r fron i ymweld â'r hen bobl bach sy'n plygu dros eu traed ar y llethrau, fe welwch fod eu cyffion wedi crychu a phlygu dan effaith gwyntoedd amser; maent yn glymog ac yn galed fel haearn er iddynt unwaith fod yn iraidd ac yn hyblyg. Dyna yw effaith gwyntoedd amser; a dyna yw'r effaith arnom ninnau hefyd, ynghyd â'r hanesion sydd wedi casglu yn ein pennau dros y blynyddoedd maith.

Egina'r gwir yn union syth, tyf yn ddidramgwydd tua'r haul; ond ymhen dim bydd carreg neu wynt iasol wedi gwyro'r planhigyn ifanc. Felly hefyd yr egina geiriau yng ngenau plant, mor bur â hadau ceirch, ond mae tuedd iddynt fagu haint cyn gynted ag y cyrhaeddant glustiau'r byd. Llygrir y storïau wrth eu trosglwyddo o fin i fin fel pe bae'n rhaid i bob un roi ei stamp ei hun ar yr hanes.

Felly roedd hi efo stori Elgan Evans. Yn wir clywais fersiwn arall wrth estyn am y fasged yn Kwiks bore 'ma. Ond be sy'n gwneud fy fersiwn i yn well nag unrhyw fersiwn arall? Wrth gwrs, does dim sicrwydd bod fy fersiwn i yn gywir, gan fy mod i'n wraig feidrol efo llanast yn fy mhen fel pawb arall. Wedi'r cyfan, mae hi'n amhosib bod yn gwbl ddiduedd – mae pawb yn gweld y byd gyda llygaid gwahanol. Ond roeddwn i'n gweld mwy na neb arall gan i mi fod yn forwyn yn Nolfrwynog am amser maith – yng nghyfnod yr hen bobl yn ogystal â chyfnod Elgan a'i frawd Gwyn.

Erbyn hynny roeddwn wedi ymadael â'r fferm ac wedi symud i fyw at fy chwaer yn y pentre, ond awn yno am ddeuddydd pob wythnos, ar ddydd Llun a dydd Gwener, i dwtio a glanhau. Gwnawn y golchi hefyd, ond fy mhrif orchwyl oedd i goginio digon o fwyd i gynnal y brodyr am wythnos, felly gwnawn ginio enfawr ar y dydd Gwener, digon i lenwi'u boliau am dridiau, a gwnawn rywbeth tebyg ar y dydd Llun. Roedd hyn yn siwtio'n iawn, ac roeddent yn talu'n dda.

Pobl hael oedd teulu Dolfrwynog, yn barod eu cymwynas a'u canmoliaeth. 'Teulu nobl', chwedl fy nhad. Rhoddent fy nghyflog yn guddiedig y tu ôl i un o'r llestri ar y ddresel, yn barod i mi ei gymryd heb orfod gofyn amdano. Rwy'n meddwl mai rhyw hen swildod Cymreig oedd wrth wraidd y ddefod hon, a daw gwên i fy wyneb hyd heddiw wrth feddwl am hynny. Ni ddywedwyd gair am yr arian hwn, na chwaith am yr ugain punt ychwanegol a fyddai'n disgwyl amdanaf ar ddiwrnod fy mhen-blwydd yn yr haf a chyn y Nadolig.

Nid felly oedd hi ar bob fferm. Clywais fwy nag un o'r hen forwynion yn dweud bod rhai o'r hen ffermwyr yn gybyddlyd ac yn llym iawn wrth drin y merched, yn arbennig pan fyddai un o'u hanifeiliaid wedi marw, neu pan gâi'r cnwd ei ddifetha gan y tywydd. Roedd eraill yn rhy barod o lawer efo'u dwylo ac roedd mwy nag un â chanddo fysedd crwydredig, yn arbennig pan fyddai merch yn plygu â'i dwylo'n llawn. Wna'i mo'u henwi, fe wyddai pawb yn y fro pwy oeddent ac roedd sawl un ohonynt yn flaenllaw yn y gymdeithas hefyd. Doedd y math yna o ragrith ddim yn plesio hogia Dolfrwynog, er iddynt gefnu ar y capel ers tro. Roedd eu mam wedi cael ei hel oddi yno pan oedd hi'n hogan ifanc am fagu bol cyn priodi. Galwyd hi i'r sêt fawr un Sul a rhoddwyd ei cherdyn aelodaeth yn ôl iddi gyda geiriau llym. Priododd cyn geni Gwyn yn y *registry*, ond ni chroesawyd hi'n ôl i deyrnas Duw. Er hynny bu'n ffyddlon i'r achos drwy gydol ei hoes, ac fe wyddai ei Beibl cystal ag unrhyw un. Roedd yr hen ffydd yn rhan annatod ohoni, roedd yn rhedeg drwy ei bywyd fel yr heniaith ar ei thrafod a'r graen yn yr hen ddresel dderw yn ei pharlwr. Roedd yn un o'r hen Gymry sydd bellach bron â diflannu o'r tir. Gallwch weld ambell un o dro i dro yn sefyll ar fuarth anghysbell mewn hen welingtons a ffedog *paisley* â'u ffon yn taro bwced a llais croch yn gweiddi 'hoi-hoi-hoi' dros y caeau, yn galw'r lloi yn union fel y gwnâi eu hen neiniau.

Heno, bydd ffenestri'r modur ar agor wrth i ni adael. Bydd lleisiau'r cymdogion yn galw 'Hwyl fawr, Eirlys', neu 'Fydd hi'n rhyfedd hebddoch chi, Eirlys', fel y buaswn i'n ei wneud pe bai rhywun arall yn ymadael â'r cwm am byth. Ond gwn hefyd, yng nghraidd fy mod, na wnaiff neb fy ngholli – heblaw am hogia Dolfrwynog efallai. Mae dolen gref rhyngom ni, a'i phrif nerth yw amser. Buom yng nghwmni'n gilydd, o ddydd i ddydd, am gyfnod maith – ers eu geni, a minnau'n ferch eithaf ifanc ar y pryd, yn dechrau magu'r awydd i gychwyn teulu bach fy hun. Ond daeth y byd rhyngof i a'm gobeithion.

Mi fuodd teulu Dolfrwynog yn ffeind iawn ar y pryd a gyda chymorth yr hen gyffur hwnnw, amser, gwnaed fi bron yn gyfan eto. Amser fel hen adnod yn mynd dros fy nhafod dro ar ôl tro, dydd ar ôl dydd. Oherwydd mae digon o amser yn yr hen gwm i ddigoni holl anghenion y byd. Mae'n cronni ym mol y dyffryn fel hen gawr diog, boliog yn gorwedd ar ei gefn yn yr haul ac yn llyncu beth bynnag ddaw i'w law fel y mynno, boed yn blentyn bach diniwed neu'n gariad annwyl.

Un diwrnod yn yr hydref y llynedd es i fyny i'r mynydd uwchben Dolfrwynog – am y tro olaf fel mae'n digwydd. Cerddais yn ara deg i fyny'r allt serth sy'n dringo o'r buarth, heibio'r goeden dail tafod y merched sydd yn plygu tua'r dwyrain, wedi ei gwyro fel popeth arall yno gan wyntoedd amser. Eisteddais ar yr hen rowler haearn henffasiwn a adawyd wrth y giât i Ffridd Las Isa un diwrnod pell gan daid yr hogia, hen offeryn sydd bellach yn hel tafol ac ysgall. Es wedyn yn dow dow heibio'r hen chwarel fach a naddwyd i greu'r ffordd i'r mynydd, yna o dan y ddwy griafolen sy'n plygu dros y ffordd. Ar ôl mynd drwy'r giât mynydd dringais i ben y boncyn sy'n edrych dros Gwm y Blodau. Fel pe bawn yn farcud, edrychais ar y tiroedd oddi tanaf – o ben caeedig y dyffryn, ar hyd y dolydd braf, heibio'r pentref bychan ac i fyny'r ochor arall, oblegid dysgl fawr ddofn yw'r cwm gyda gelltydd serth yn codi'n araf o'r gwaelodion ac yna'n diflannu dros y gorwel. I'r hen bobl, y cwm hwn oedd y byd a'r bydysawd, doedd dim byd y tu draw i'r mynydd-dir uwch eu pennau. Oherwydd ei natur gaeedig, ni allai nemor ddim ddianc oddi yno heblaw am ambell i ddafad ac oen o dro i dro, wedi crwydro o'r hen gynefin ar y mynydd a glanio ymhell i ffwrdd yn y Llys Defaid Crwydredig, cyn cael eu hebrwng yn ôl fel plant drwg. Ond wedi'r rhyfel gwelwyd mwy a mwy o'r bobl ifanc yn ymadael – i fynd i'r coleg, neu i ffeindio gwaith yn nhrefi Lloegr. Galwyd nifer o'r dynion i ledaenu'r achos, ond gwanhau mae gafael Duw ar y fro hon, fel ymhobman arall. Gynt, âi aml i ferch ifanc i weini ac i edrych ar ôl plant bach Cymraeg yn y dinasoedd, ond roedd y traddodiad hwnnw wedi darfod cyn f'amser i. Aeth mintai o wŷr ifanc i'r rhyfel a dim ond llond llaw ddaeth yn ôl. I weddill y trigolion bu'r cwm naill ai'n baradwys neu'n garchar du. Doedd dim llawer o ddewis, wir; doeddem ni erioed wedi profi unrhyw fath o fywyd heblaw hwnnw; estron iawn oedd y byd mawr y tu hwnt i'r gorwel. Roedd y byd yn anferthol. Roedd clociau Pen Llŷn yn dangos amser gwahanol ac roedd cymoedd y de yn perthyn i frid diarth iawn – dynion â'u hwynebau'n ddu yn canu *Men of Harlech* ar y ffordd adref o ddüwch eu llafur beunyddiol.

Cysgais innau yn y cwm bob noson y bûm fyw. Ac eithrio ambell i ddiwrnod o siopa yng Nghaer neu Lerpwl, a'r trip Ysgol Sul bob blwyddyn, ni adewais yr hen gynefin unwaith. Yn sicr, ni fûm dramor fel aiff bron pawb heddiw. Ni fûm yn berchen ar basport hyd yn oed, ac felly ni chamais erioed ar fwrdd llong neu ar awyren. Efallai fod marwolaeth Huw ar dir tramor wedi cymylu fy narlun o fywyd y tu draw i'r gorwel, oherwydd dinistr a phoen yn unig a welwn tu hwnt i'r ynys hon, nid y cyffro a'r pleser a brofir gan y to ifanc heddiw.

Bûm yn eistedd ar y bryncyn uwch Cwm y Blodau am rai oriau yn ceisio penderfynu be i wneud â'r hynny o ddyfodol sydd gen i. Ymhyfrydais, fel arfer, yn y clytwaith o gaeau bach cyfareddus oddi tanaf, ond roedd glesni'r haf wedi hen bylu a'r coedydd ar ochrau'r llethrau wedi newid eu lliw. Gwelais fod afon y cwm yn isel iawn, a'r dolydd yn felynwyn wedi i'r cnydau gael eu cynaeafu. Oedd, roedd llymder gaeaf yn cripian drwy'r rhedyn, yn agosáu at yr afon fel carlwm yn hela cwningen ifanc. Gydag un naid byddai'n aeaf eto a deuai'r oerfel i lesteirio bywyd: i dagu ysgyfaint y bronnydd ac i atal gwaetgur y dolydd. Na, meddwn wrthyf fy hun ar ôl bwyta fy mrechdan gaws a chwalu'r briwsion oddi ar fy mron, byddai'n rhaid i mi fynd oddi yno. Doedd dim dewis wir ar ôl be ddigwyddodd yno. Roedd yr holl hylabalŵ ynghylch Elgan a'r ferch yn y wisg werdd yn parhau i orwedd ar fy nghalon fel carreg. Byddai'n rhaid i mi adael cyn dyfod yr Ehedydd, y Dryw Felen a Thelor yr Helyg eto. Byddai'n rhaid i mi adael cyn i flodau mân y cloddiau fy swyno unwaith eto: cyn i Melyn y Gwanwyn hau miloedd o heuliau bach ar hyd ffyrdd bach y wlad, cyn i'r Briallu a'r Cennin Pedr ymwthio'n grynedig drwy bridd y cafn wrth siop y pentre. Roedd rhaid i mi fynd cyn i briodas y ddraenen ddu chwalu'n gonffeti gwyn ar hyd a lled y ceulannau ir. Byddai'n rhaid i mi adael cyn i niwl gwyn y gwanwyn ddyfod. Ni fedrwn ddygymod â gweld y coedydd yn glasu eto – natur, fel arlunydd gwallgof yn tasgu'r 'hen lesmeiriol baent' ar hyd a lled y wlad, dros bob boncyff a brigyn – naw ugain math o wyrdd, porffor a melyn, coch a glas, ac yna mwy o wyrddni eto.

Do, dois i benderfyniad pwysicaf fy mywyd; awn cyn y deuai'r gwanwyn. Pe byddwn wedi oedi byddwn wedi bod yn gaeth i'r lle am byth. Profais gariad yno, do, ond profais ei boen yno hefyd. Nid ofni gaeaf arall oeddwn nac ofni ddiweddu fy mywyd yng Nghwm y Blodau chwaith. Yr hyn a ofnwn yn fwy na dim oedd mynd i fy medd heb allu dweud hanes y cwm. Oherwydd heb rannu fy stori, pwy fyddai'n gwybod beth ddigwyddodd yno? Ni châi neb wybod pwy drodd yr anialdir yn dir amaeth da; na phwy gododd y waliau ac a blygodd y cloddiau, pwy ddaru hel y meini mawr i'r cloddiau, na phwy ddaru gyweirio'r eithin a'r asgell. Ni chaent eu cofáu, heblaw am yr enwau bedydd yn y llyfr mawr pydredig yng nghist dderw'r eglwys, a'r geiriau prin yn y fynwent. Pwy oeddynt? Sut naws a chymeriad oedd i'r rhai wnaeth fireinio'r tir dros flynyddoedd di-rif? Hwyrach mai cymwys yw i ni oll ddiflannu heb air i'r düwch, ac mai dyna yw'r drefn naturiol. Ond mae rhyw bryf sy'n troi yn fy mynwes yn dwcud: *Na, paid â mynd heb ddweud dim wrth neb. Rhaid i ti adael dy enw ar y mur enfawr ym mhen draw'r byd. Cymer dy bin a'th bapur a dywed wrth ein disgynyddion pwy oeddet, be wnaethost, pa hen dduwiau oedd yn dy ben, pwy ddaru naddu EW yn ddwfn ar y llechen fawr dros yr afonig yn y pentre, pwy ddaru adael yr aradr ddwy gŵys i rydu'n araf ar waclod y maes yng Nghwm Isa – ond sy'n gwrthod diflannu o'r tir, fel pe bai'n benderfynol o fod yn gofeb i'r hen ffermwr blin a adawodd hi yno un diwrnod o wanwyn gwlyb, ymhell yn ôl...*

Ond trawyd fi gan syniad arall wrth fwyta talp o siocled ar y bryncyn uwchben Dolfrwynog. Pe bawn yn sgwennu'r hanes yng Nghwm y Blodau, a lwyddai fy neges i ddianc oddi yno? A fyddai'r geiriau yn medru dringo'r elltydd a dianc dros y gorwel?

Gwn na chaf fy nghofio yn y cwm. Mae amser yn ddigyfaddawd. Ewch i'r fynwent, syllwch ar y rhai sy'n gorwedd yno. Fe welwch linell yn rhedeg drwy'r beddau. Math o orwel ydyw. Ar y naill law fe welwch Gyfnod y Blodau, ac ar y llaw arall fe welwch Gyfnod y Chwyn. Oherwydd dim ond ychydig iawn ohonom a gaiff eu cofio gan yr ail genhedlaeth a bron iawn dim gan y drydedd. Enwau coll yw'r rhain wedyn, hanes sy'n cael ei ailadrodd gan y gwynt a'r glaw yn unig.

Daeth yr amser i ymadael â'r hen fro. Bydd canol y pentre yn llonydd heno, gyda tharth o fwg melys uwchben y toeau. Bydd y plantos yn eu gwelyau, a bydd y cwm wedi distewi, ac eithrio cyfarthiad ci hwnt ac yma, sgrech orffwyll rhyw lwynog anweledig neu gŵan y dylluan yn y fynwent.

Bydd yn cymryd amser i mi gartrefu ger y môr, bydd popeth mor wahanol – gwely newydd mewn ystafell newydd; cegin newydd gyda nwy a gwres canolog. Ond caf gyfle i edrych ar lanw a thrai'r môr a chaf wrando ar ei gân. Caf weld y byd o'r newydd.

Pennod 1

ROEDD Y TEULU wedi bod yno ers cyn cof. Ers y canol oesoedd, mae'n debyg, gan mai Evans oedd yr unig gyfenw ar gofnodion y fferm. Anhrefnus a bratiog iawn oedd y dogfennau hyn, gan eu bod mor hen, ond dangosent mai cyfuniad o ddwy fferm yn terfynu â'i gilydd a thyddyn bach oedd Dolfrwynog. Dangosai'r cofnodion hefyd fod y tiroedd gwreiddiol wedi cynnwys sawl parsel bach o dir gyda'r gair *quillet* wedi'i sgwennu drosto. Caeau bychain oddi mewn i gaeau eraill oedd y rhain, yn perthyn i bobl eraill. Yn araf, dros gyfnod helaeth, fe'u prynwyd a chyfunwyd y cyfan i wneud fferm braf o tua tri chan acer. Ac yn olaf, ychwanegwyd Hafod yr Haul – fferm fach agos ond ar wahân, ynys fach las ar y mynydd llwm uwchben – yn dilyn priodas rhwng y ddau deulu rhywbryd yn y bedwaredd ganrif ar bymtheg.

Un o nodweddion cefn gwlad Cymru – fel cefn gwlad sawl cenedl arall – yw bod bron pawb yn perthyn i'w gilydd rhywsut, ac o sathru troed rhywun yn y bore bydd hanner y fro wedi cloffi erbyn y nos. Ond roedd teulu Dolfrwynog wastad wedi priodi rhywun o'r tu hwnt i'r cwm, ac felly doedden nhw ddim mor glos â hynny at bawb arall yn y cyffiniau. Wn i ddim be oedd y rheswm dros y traddodiad hwn; mae'n wir mai eglwyswyr oeddynt mewn cwm eitha capelgar, er na fydden nhw'n mynychu'r hen eglwys rhyw lawer chwaith, heblaw am fynd yno i fedyddio ac i gladdu.

Mae'r weithred o gofio fel craffu i gysgodion hen gwpwrdd cornel hendrwm nas agorwyd ers tro. Yn gyntaf oll, roedd teulu Dolfrwynog yn gymdogion da, yn barod iawn eu cymwynas; cadwent eu cloddiau mewn trefn a chodent law ar bawb. Gallaf ddatgelu mai hwy oedd y 'Siôn Corn' a adawai lond sach o datws a chynnyrch fferm wrth ddrws cefn henoed tlawd y fro pob Dolig, gan wneud hynny'n slei bach fel na wyddai neb pwy oedd wrthi. Cynigient gymorth i ffermwr âi i drybini; hwy aeth i dorri gwair Wilias Pen Cefn pan dorrodd ei beiriant, a hwy aeth i felio yn Llidiart y Mynydd pan dorrodd y mab ei fraich. Ia, pobl ffeind oedd teulu Dolfrwynog. Cadwent hyd braich oddi wrth bobl frwnt neu ffiaidd, er nad oedden nhw'n closio'n rhy agos at unrhyw un chwaith. Fel y dywedai Hannah Evans eu nain, os âi'r llinyn yn rhy dynn, y peryg oedd iddo dorri. Yn olaf, nid oeddynt yn cybola efo pobl fel Siani High Heels, rhag iddyn nhw gael y bai am ledaenu clap a chelwydd.

Oedd, roedd teulu Dolfrwynog wedi bod yno ers cyn cof. Hwyrach mai dyna oedd y rheswm dros eu neilltuedd. Yn sicr, nid pobl ddŵad oedden nhw, fel cymaint sydd yn byw yn y fro heddiw. Na, hogia ni oedd Gwyn ac Elgan. Ffermwyr o'r corun i'r sawdl. A ffermwyr eithriadol hefyd – roeddent wedi bod yn y coleg yn Llysfasi ac roedd Elgan wedi bod yn y papur newydd pan ddewiswyd ef yn Ffermwr Ifanc y Flwyddyn un tro. Y nhw ddaeth â'r tractor cyntaf i'r fro – Fordson Bach, a chanddo olwynion mawr haearn efo sbigau i grafangu'r tir. Gwelaf ef yn awr, ein cawr bach newydd sbon, yn cael ei ddadlwytho oddi ar y lori yng nghanol y pentref – nid er mwyn creu sioe, ond oherwydd bod y ffordd fach i fyny i'r fferm yn rhy gul i'r lori. Yn wir, dyletswydd cyntaf y bwystfil newydd oedd lledu'r ffordd i Ddolfrwynog efo'i bawennau dur. Daeth hwn â newid aruthrol i'r fro. Roedd ei bŵer yn syfrdanol a'i sŵn yn fyddarol. Dyna pryd ddaeth ffordd o fyw y dyddiau gynt i ben yng Nghwm y Blodau. Yr awr honno, ac nid diwrnod ynghynt.

***

Codais yn gynnar y bore 'ma – cyn y wawr bron; roedd y golau'n dal yn egwan. Ar ôl gwneud panad, eisteddais yn fy nghadair newydd, gyferbyn ag un fy chwaer wrth y tân nwy. Does dim rhaid glanhau'r grât a nôl priciau bellach. Ond methais ag ymlacio a throis i eistedd yn y conserfatori bach yng nghefn y tŷ. Ymdawelais o'r diwedd wrth ymgynefino â'r synau newydd o'm cwmpas: gwylanod yn rhwygo'r awyr â'u sgrechian amhersain; ceir yn pesychu wrth ddechrau'r dydd. Mae'n anodd arfer â'r synau newydd hyd yn hyn, ond dywed pawb na fydda i'n sylwi arnynt cyn bo hir. Gobeithio y daw hynny'n fuan, gan nad ydw i wedi cysgu'n iawn ers cyrraedd.

Er hynny, rwy'n teimlo'n reit obeithiol. Mae cymaint i'w ddysgu yn fy myd mawr newydd. Rwyf wedi gweld blodau diarth ar y lan: sêr bach pinc y Troellig, a phen pigog Celyn y Môr. Mae adar newydd hefyd: Hutan y Môr, er enghraifft, yn sprogian ymysg y gwymon, a'r Pibydd Coesgoch yn trywanu gwastadedd y morlan efo'i big prysur. Bu rhaid i mi brynu llyfrau newydd i'w hadnabod. Af i gysgu weithiau gyda enw newydd ar fy nhafod; ond erbyn y bore mae wedi hedfan i ffwrdd. Dydi'r cof ddim cystal ag oedd o.

Ond er 'mod i'n ddigon hen i obeithio am dipyn o heddwch, byddaf hefyd yn ysu am gael gwybod mwy am y byd newydd 'ma sydd o'm cwmpas. Erbyn hyn rwyf wedi cael cyfle i edrych arno'n iawn, a sylweddoli ei fod yn anhygoel o brydferth. Mae byw wrth ymyl y môr yn syfrdanol; rhyfeddwyd fi o'r dechrau gan ei rym a'i fawredd. Swynwyd fi gan yr adar newydd uwchben a'r tywod cynnes dan fy nhraed noeth, y slefrod môr a'r serernbysg.

Yn ogystal, rwyf wedi gorfod dysgu enwau llu o bobl newydd. Ac i rywun eitha gwladaidd ac eithriadol o swil, bu hyn yn dipyn o sialens, er rwyf wedi mwynhau'r broses.

Anogwyd fi gan un o'm ffrindiau newydd, Jan, i ymuno â chôr y pensiynwyr – ac yn wir i chi, mae gen i dipyn o lais, medda nhw. Maen nhw'n garedig ac yn gwneud ffys fawr ohona i bob tro rwy'n mynd i'r ymarferion yn festri'r eglwys. Mae'n brofiad neis, rwy'n mynd i deimlo'n reit benysgafn bob tro. Pleser hollol newydd yw cymeradwyaeth cyfeillion.

Trafodais hyn gyda Jan wrth lymetian mewn caffi y diwrnod o'r blaen a daethom i'r casgliad fod pobl yn ffeindiach y dyddiau hyn. Ar y cyfan, dydyn nhw ddim cweit mor filain ag oeddent ers talwm.

'Mae 'na reswm syml dros hynny,' meddai Jan yn ei Saesneg uchel-ael. 'Rydan ni'n byw'n fras iawn y dyddiau hyn, mae gennym ni ddigon o bopeth o'i gymharu â'r hen ddyddiau, felly 'da ni'n medru fforddio bod yn neis ac yn hael. Roedd ein cyndeidiau yn gorfod brwydro a chrafangu am bob cegaid o fwyd, ac mi roedd hynny'n eu gwneud nhw'n bobl greulon a chalon-galed ar adegau. Gellwch fod yn siŵr o un peth, Eirlys, byddem ninnau wedi ymddwyn yn union yr un fath â nhw pe baem ni wedi byw yr adeg honno.'

'Bobl bach,' dywedais innau, 'doeddwn i 'rioed wedi meddwl am hynny o'r blaen.'

Ar y ffordd adre, bûm yn meddwl am ein hymgom. Dyna effaith arall o fod yn drefwraig rŵan, rwy'n clywed syniadau syfrdanol pob dydd. Syniadau mor ddi-rif â morgrug y llawr, yn llifo drosof o bob cwr – o enau'r dorf sy'n heidio ar hyd y palmentydd, ac o'r pererinion sy'n crwydro ar hyd yr arfordir, a hefyd o'r rhesi o lyfrau yn y llyfrgell. Mae'r adeilad hwnnw bron â chodi ofn arnaf! Llyfrau'n ymwneud â rhamant, a hanes, ac hyd yn oed trosedd! Oes, mae 'na lyfrau ynghylch lladd pobl! Be fysa Nain yn ddeud?

Gyda'r hwyr, ar ôl sgwrsio'n hamddenol a rhannu swper bach gyda Anwen, af i fy ngwely yn fy nghoban newydd. Synfyfyriaf am y diwrnod a fu. Distawa'r dref o'm cwmpas yn araf, araf, ac mi deimlaf ei hanadl yn newid cywair. Dwi'n dechrau dod i adnabod ei llais, ei defodau a'i mympwyon. Aiff dau ddyn heibio tua chwarter i hanner, yn siarad yn swnllyd am bêl-droed, a lolian am gymeriadau'r dafarn sy'n ail gartref iddynt. Mi fasan nhw'n cywilyddio petaen nhw'n gwybod mod i'n clywed pob gair. Ar ddwy noson yr wythnos cyrhaedda car y tu allan i'r trydydd tŷ yn y rhes, a chlywaf ddyn yn cerdded heibio ein tŷ ni, cyn diflannu ar frys drwy ddrws cefn Nymbar 33. Yn ôl Anwen, mae hwn yn cymryd mantais o'r ffaith fod gŵr y tŷ yn gweithio shifftiau nos.

'Pwff,' meddwn innau, 'sut wyddost ti?'

'Roeddwn i'n meddwl mai lleidr oedd o i ddechrau, felly mi gadwes i lygad arno.'

'Diolch i Dduw fod *rhywun* yn cadw golwg ar y lle...' meddwn innau braidd yn bigog. Aeth i'w gwely'n reit handi ar ôl hynny.

Wedi hanner nos bydd hi'n eitha distaw. Daw ambell i glonc o gyfeiriad y briffordd, a phan ddaw hi'n storm clywir hisian y môr yn ceryddu'r lan fel hen glacwydd blin. Bryd hynny, a minnau'n hepian yng nghysgodion dwfn y nos, daw'r hen gwm i'r cof, yn cysgu dan ei fantell swynol, ymhell i ffwrdd yn y bryniau fry.

Dychmygaf leuad llawn uwchben y dyffryn, yn ariannu'r tir. Hedaf dros y llan, fel pe bawn yn dylluan yn siglo uwchben y toeau barugog. Gwelaf lygoden fach yn swatio ar un o'r beddi yn y fynwent. Yna gwelaf y dolydd yn ymestyn i gyfeiriad y llechweddau duon ym mhen draw'r cwm. Gwelaf glytwaith o gaeau bach cysglyd yn gorwedd fel cwrlid dros y cyfan; rhychir fy nhalaith freuddwydiol gan blygiadau'r cloddiau a'r waliau. Saif y teisi gwair fel torthau anferthol yng nghadlesi'r ffermydd; a rhywle, ym mol un ohonynt, bydd Dic Deryn y trempyn yn cysgu. Daw smic o olau melynwyn o gyfeiriad y giât yn arwain i faes Dolfrwynog; pryfaid tân yw'r rhain, yn disgleirio'n y glaswellt. Edrychaf ymlaen at eu gweld bob tro, oherwydd teimlaf fy mod yng ngŵydd y tylwyth teg, carfan lon ohonynt yn cerdded drwy'r wlad dan eu llusernau bach lledrithiol. Yna clywaf gi yn cyfarth yn y fferm agosaf i'r llan – wedi synhwyro fod 'na lwynog yn sleifio drwy'r gwyll, efallai. Clywir ei gyfarthiad gan gŵn Dolfrwynog, yna gan gŵn Llidiart y Mynydd, ac aiff ton o gyfarth i fyny'r cwm. Bydd eu clebran yn agos ac yn swnllyd i ddechrau, ond yna'n egwan wrth ymbellhau draw yn y pellter. Daw distawrwydd yn ôl i'r cwm; nid distawrwydd llethol yw hwn, ond distawrwydd goruwchnaturiol. Mae fel sŵn y môr mewn cragen. Ai clywed calon y Cread yn siffrwd ydw i? Clywaf ddistawrwydd y lloer a'i llewyrch llesg ar wyneb yr afon; clywaf ddistawrwydd y llygoden yn y fynwent; clywaf lonyddwch enaid y bydysawd ynghwsg yng ngwely dwfn Cwm y Blodau. Yr hen ddistawrwydd gorffenedig hwnnw y clywais amdano gyntaf rhwng dau glawr y llyfr bach o farddoniaeth a roddwyd i mi fel gwobr yn eisteddfod y plant.

Dywedais wrth Jan 'mod i'n hiraethu am yr hen dawelwch a 'mod i'n methu canfod unrhyw fan lle cawn eistedd a phensynnu heb gael fy myddaru gan dwrw'r dref.

Gwenodd, gafaelodd yn fy mraich, a cherddom i'r fynwent,

gan anelu am y gornel bellaf lle roedd hen ywen. Doeddwn i ddim wedi sylwi ar y lle cyn hynny gan fod clawdd yn ei guddio.

'Dyma fy lloches i', dywedodd, 'cei rannu'r lle os lici di.'

Mae mainc a phlac bach o efydd ffug yn cofféu'r ddynes oedd yn arfer eistedd yno. Am ryw reswm mae twrw'r dref yn diflannu'n gyfan gwbl yn y fan honno; efallai fod mur yr eglwys, yr ywen a'r clawdd prifet trwchus sy'n amddiffyn y fainc yn gwarchod y lle rhag pob sŵn. Erbyn hyn mae'r fangre yn guddfan i mi. Caf wrando ar y distawrwydd sydd mor werthfawr i mi, a chaf edrych ar yr adar mân yn brysur ymysg y beddi. Ar adegau fel hyn rwy'n teimlo'n agosach at y meirw nag ydwyf at fy nghyd-deithwyr bydol. Weithiau daw perthnasau yno i dacluso ac i roi blodau ar y cerrig; yr un hen wynebau welwch chi bob tro ac fe wyddoch, rhywsut, fod gwir gariad rhyngddynt a'r perthnasau a gollwyd. Gwyliaf nhw'n bobian i fyny ac i lawr, fel pibyddion y môr, tra byddan nhw wrthi'n twtio. Gallaf eistedd am brynhawn cyfan yno, mor ddistaw ag un o'r angylion marmor sy'n gwylio'r lle.

***

Er mai dim ond ers ychydig fisoedd bûm yn byw yn y dref, mae'r hen fro yn teimlo'n bell iawn i ffwrdd yn barod. Gwelaf y cwm a'r tir uchel o'i gwmpas fel gwlad hud, bron; neu fel rhywle y darllenais amdano yn un o'r llyfrau teithio yn y llyfrgell, teyrnas estron a swynodd fy nychymyg am brynhawn, cyn diflannu'n ôl i'r pellteroedd. Weithiau, a minnau'n eistedd yn fy lloches, rwy'n ffansïo mai breuddwyd oedd y cyfan – y llan, y lôn fach flodeuog am Ddolfrwynog, a'r hen ffermdai bach gwyn a welwn hwnt ac yma wrth sefyll ar ben y fron, ymysg yr eithin melyn. Daw gwefr neu ias drosof; ai dychmygu'r cyfan wnes i?

Ond gwn mai lle go iawn yw Dolfrwynog, mae gen i graith ar fy nglin sy'n dweud 'mod i wedi bachu cryman yn afrosgo ar glawdd afreolus yn y gadlas un diwrnod, ac un arall ar fy mys sy'n dweud 'mod i wedi torri piser llefrith un noswaith o hydref wrth frysio i orffen fy ngwaith. Ydi, mae'r dystiolaeth dal yna – yn osgo fy 'sgwyddau a'r poenau yn fy ngliniau. Fel y dywedodd yr arbenigwr 'chydig ddyddiau'n ôl, mae'r hen gorff wedi gweld gormod o waith caled, mae'n bownd o gwyno dipyn erbyn hyn. Dyna pam rwyf ar dipyn o frys i ddweud fy hanes. Fel dywed Jan: 'Does yr un ohonom yn mynd yn iau.'

Aeth deugain mlynedd heibio ers y digwyddiad ffrwydrol, tyngedfennol a newidiodd gymaint ar hynt y teulu yn Nolfrwynog. Gynt, nid oedd bywyd y cwm wedi newid rhyw lawer ers oes oesoedd. Aethai'r ffermwyr o gwmpas eu gwaith, o ddydd i ddydd, heb unrhyw gyffyrddiad â'r byd mawr o'u cwmpas. Gwelid nhw'n symud yn ddistaw ar y llethrau yn y pellter, a chlywid nhw ar y gwynt yn chwibanu ac yn gweiddi ar eu cŵn, er na welid nhw weithiau am wythnosau lawer. Ond roedd eu harferion personol fel cloc i mi. Gwyddwn ei bod hi'n hanner awr wedi chwech, y naill ben i'r dydd, os gwelwn wartheg godro Llwyn y Gog yn ymlwybro tua'r buarth. Gwyddwn ei bod hi'n amser cinio os clywn gloch Bryn Clochydd yn atsain drwy'r fro, a gwyddwn fod pawb yn Ty'n yr Hendre wedi cael eu swper os gwelwn Bob yn mynd ar hyd y caeau i hela'r twrch gyda'i raw yn yr hwyrddydd. Oedd, roedd cloc mawr y tir cystal ag unrhyw wats.

Gwelid y gwragedd yn amlach – yn mynd yn ôl ac ymlaen i'r siop, neu'n mynd â'r rhai bychain i'r ysgol, neu'n gwibio i'r dref i nôl rhyw declyn, neu hoelion a staplau, neu gant a mil o bethau eraill. Efallai mai'r plant a welid amlaf – yn straffaglu ar hyd y lonydd bach ar eu ffordd i'r ysgol neu'r capel; minteioedd o filwyr bach dewr ar eu ffordd i ryw ryfel bell. Gwyddent lle i ddarganfod nythod yr adar mân, y mefus gwyllt a'r mwyar duon. Cyrhaeddent adre â rhwyg yn eu dillad – i wynebu'r wialen fedw unwaith eto – a chylch dugoch o amgylch eu cegau, ôl y wledd a fwynheid ar y ffordd. Plant annof oeddynt, fel blodau'r clawdd. O gymharu â nhw, planhigion simsan y tŷ gwydr ydi plant heddiw. Wrth edrych ar hen luniau du a gwyn o'r cyfnod hwnnw, fe welwch wyliadwriaeth yn eu llygaid, gochelgarwch nad yw yno yn ein lluniau ni heddiw. Edrychent i'r lens fel pe baent yn syllu i mewn i ddyfnderoedd ffynnon hudol.

Dim ond ar ddyddiau penodol o'r flwyddyn y gwelid y teuluoedd efo'i gilydd – yn ystod y Pasg a'r Dolig, ar ddiwrnod yr eisteddfod leol, neu ar ddiwrnod y trip Ysgol Sul. Bryd hynny, gwisgent eu dillad dydd Sul fel siwt ofod – fel petaent yn mynd ar siwrne i'r lleuad.

Er bod y ffermydd yn uniaith Gymraeg roedd y pentref wedi gweld dyfodiad nifer o Saeson, hyd yn oed bryd hynny. Dysgai'r plant newydd y Gymraeg yn eitha sydyn, ond roedd gwahaniaeth anniffiniadwy yn dal i fod rhyngddynt rywsut. Rhaid i chi ofyn i rywun clyfar i esbonio hyn, dydi'r gallu ddim gen i.

Cymdeithas glos oedd y gymdeithas hon ar bob golwg, ond fel gyda phob tylwyth bychan mewnblyg, gyrrid gwreichion peryglus i bod cwr pe roddai rhywun brociad i'r tân. Roedd rhai ohonynt heb siarad efo'i gilydd ers blynyddoedd, ac roedd eraill – cynffonwyr fel Siani High Heels – yn barod iawn i droi eu boliau tua'r haul fel cŵn anwes os aech atynt i'w cosi.

Bellach mae'r siop wedi cau ac mae'r hen efail wedi'i throi

yn storfa. Ni all plant y fro fynd draw i brynu fferins – licris, sierbet a cachu llygod – ac ni all neb fynd i weld y gof yn pedoli merlen. Yn y dyddiau hynny, cynhaliwyd seiat awyr agored bob bore y tu allan i'r efail, gyda giang o ddynion yn cael dipyn o hwyl ac yn herian unrhyw un ddôi'n agos. Clywaf eu lleisiau ar y gwynt, fel adlais yn dod o'r gorffennol: baldordd a brygawthan, mwyniant a malu awyr. Maent i gyd wedi mynd bellach; aethant â rhan o enaid y wlad efo nhw yn eu pocedi llwythog.

***

Trafodais yr awydd i gofnodi hanes y cwm efo Anwen wrth noswylio heno.

'Wel Eirlys,' meddai hithau'n reit swta, 'am bwy yn union rwyt ti'n mynd i sgwennu? Pwy yw'r prif gymeriad? Waeth i ti heb â phaldaruo am y cwm, mae pawb wedi syrffedu efo stwff fel'na ers talwm. Dydi o'n golygu dim i'r genhedlaeth hon, dydy nhw ddim isio clywed dy hen atgofion diflas di. Mae gennyn nhw isio darllen am nwyd, rhaib a distryw.'

'Ond Anwen bach, rhaid i mi roi'r cefndir, yn bydd?'

'Wnaiff rhyw bwt o air ar y dechrau y tro, bydd hynny'n hen ddigon neu fydd pawb wedi cael llond bol cyn cychwyn.' Mae hi'n medru bod mor wenwynllyd ar adegau. Ond mae'n angenrheidiol i mi gael rhyw fath o garreg ateb, er mwyn rhoi trefn ar bethau.

Aeth Anwen i dipyn o hwyl, a chyn pen dim roedd hi'n gwybod mwy nag unrhyw *professor*.

'Am y tro cyntaf yn dy fywyd, rhaid i ti ddechrau gofyn cwestiynau, Eirlys. Rhaid i ti ofyn pwy a pham, rwyt ti'n lot rhy ddof a gwylaidd. Wedi deud hynny, rydan ni i gyd wedi bod yn euog o hynny, yn dydyn ni? Dyna ydi prif nodwedd ein cenhedlaeth a'n cenedl, 'de? Llwfr a gwasaidd fuom ni erioed yng Nghymru, yn barod i gymryd ordors gan unrhyw lwdwn efo llais lli gron a sgidiau dal adar.'

'Fysa ti wedi gwneud *politician* ardderchog, Anwen,' atebais innau.

Ond mi roedd hi'n iawn. Am bwy neu beth oedd fy hanes? Y cwm yn ei gyfanrwydd, ynte'r bobl oedd yn byw ynddo? Teulu Dolfrwynog yn unig, ynte'r cwbl lot ohonom ni, y drwg a'r da?

Roeddwn wedi cynhyrfu gymaint nes i mi fynd i'r gwely heb banad na swper chwaith. Gwrandewais ar y ddau ddyn yn mynd adre o'r dafarn, yna gwrandewais ar y stelciwr yn agor a chau drws cefn ei gariad cyfrinachol. Tic-toc medd y cloc ar fy mord, ei wyneb wedi'i gydio gan lafn o olau oren yn dod o'r lamp ar y stryd. Dechreuais feddwl am Jan.

Ar ôl ei genedigaeth ym Manceinion roedd hi wedi byw ym Mryste a Llundain, wedi gweithio yn Hong Kong a Singapore, ac wedi ymweld â'i merch droeon yn Awstralia. Roedd hi wedi teithio yn America, India a'r Affrig. Enwau a lluniau mewn llyfr oedd y llefydd hynny i mi, Eirlys fach y forwyn. Tra bu hithau'n gweld y byd roeddwn innau yn ymlwybro fel malwen ar hyd nentydd a chaeau Cwm y Blodau; a thra roedd hithau'n cerdded ymysg y pyramidiau, roeddwn innau wrthi'n cerdded yn ôl ac ymlaen o'r ffermdy i'r ffynnon efo dwy fwced haearn, neu'n nôl llefrith o'r *dairy*. Doedd dim cymhariaeth, rhywsut – bu ei bywyd hi yn fentrus, tra aberthais innau fy mywyd i glwt o dir gwlyb yng nghanol nunlle. Ond yn awr, roedd y ddwy ohonom wedi cyfarfod fel pererinion coll ar groesffordd yn yr anialwch. Does rhyfedd fod bywydau'r ddwy ohonon ni wedi croesi fel dwy linell mewn patrwm *spirograph*. Ond teimlwn yn hyderus y byddai mwy o linellau yn croesi yn fy mywyd innau, gan fy mod wedi dechrau pennod newydd. Roedd gennyf ddewis bellach; cawn brofi dipyn o antur, neu fe allwn bendwmpian yn ddistaw yn fy nghadair freichiau o flaen y tân bob dydd. Na! Dymunwn fywyd bywiog, prysur. Dymunwn antur!

Caeais fy llygaid. Distawodd fy nghalon. Ac yna des i gasgliad pendant. Penderfynais gychwyn y stori efo Elgan Evans. Dywedwn yr holl stori, o'r dechrau i'r diwedd, ac yna gorffennwn efo'r ferch yn y wisg werdd, y dduwies fach a hudodd bawb yn y cwm am bron i flwyddyn.

Wedyn, syrthiais yn ddisymwth i drwmgwsg; cysgais yn well y noson honno nag a wnes ers cyrraedd fy nghartref newydd ar lan y môr.

Pennod 2

Yn yr hen ddyddiau, byddai unrhyw un âi am dro drwy'r pentref neu ar hyd y cwm wedi adnabod pob copa walltog ddôi i'w cyfarfod. Roedd cwrdd â rhywun diarth yn destun trafod yn y fro am wythnosau. Bu bron i mi lewygu pan welais ddau ddyn du – Indiaid yn eu twrbanau gwyn – yn y pentre un diwrnod yn gwerthu carpedi. Roedd 'na roliau hir wedi'u clymu i do eu Morris Minor Traveller gwyrdd. Ond fe wnaeth eu cerbyd, a'u golwg estron, lawn gymaint o argraff arnom ni â'u carpedi lliwgar. Fel mae'n digwydd doedd Cwm y Blodau ddim yn barod eto am ddyfodiad y carped ac felly seithug oedd eu siwrne.

Ond heblaw am eithriad yn awr ac yn y man, adwaenech bawb. Byddech yn gwybod hefyd dipyn go lew am eu brodyr a'u chwiorydd, eu rhieni, a'u teidiau a'u neiniau. Roedd hanes teulu ynghlwm â phopeth a wneid gan bawb: byddech yn ymwybodol o'ch dyletswydd i'r teulu o fore gwyn tan nos. Roeddem un ac oll yn gynrychiolydd ac yn gennad i'n teuluoedd.

O gyfarfod â rhywun estron ar un o'r elltydd i lawr i'r pentre, byddai hynny o bwys mawr i bawb. Byddai pawb yn daer i wybod pwy oeddynt, o le daethant, a be oedd eu busnes. Ac er swildod cynhenid y trigolion, mi fuasai rhywun neu'i gilydd wedi croesholi'r creadur ac wedi cael ei berfedd cyn iddo ddianc oddi yno.

Roeddem yn cyfarch pawb, ac yn barod i drafod unrhyw bwnc dan haul, hyd yn oed efo Meri Maes y Llan. Doedd Meri ddim cweit yn llawn pen llathen, ond roedd hi'n annwyl iawn. Tueddwn i wenu pe gwelwn hi'n hercio tuag ataf ar hyd y ffordd. Roedd rhywun wedi rhoi hen gôt fawr ddu iddi – côt dyn am wn i, oherwydd roedd hi'n rhy fawr o lawer i Meri. Gwisgai honno bob tro yr âi allan – mewn glaw a hindda, oerfel a thes; i'r steddfod yn ogystal ag i'r sêl ddefaid. Byddai'n cwblhau ei *wardrobe* drwy wisgo welingtons mawr du, y rheini wedi dod oddi ar draed drewllyd rhyw hen ffarmwr ymadawedig, mae'n debyg. Edrychai Meri fel bwgan brain a benderfynodd symud o un cae i'r llall mewn ffit o dymer, er mwyn drysu'r fro. Ond ei *trade-mark* oedd yr hen feret loyw ddu ar ei phen; roedd honno wedi gweld dyddiau gwell hefyd ond ni fynnai Meri wisgo dim byd arall. Yn wir, roedd osgo ei phenwisg yn dynodi rhywbeth pendant; awgrymai fod y diniweityn di-glem o'ch blaen chi gyda'i hwyneb rhychiog yn unigryw ac yn ddigymar. Roedd Meri a'i beret yn annatod, fel Picasso a'i feret yntau. Ond *artiste* tra gwahanol oedd Meri; ei harbenigedd oedd siarad lol botes ynglŷn ag unrhyw wiriondeb â ddôi i'w phen. Mwynhawn ein sgyrsiau bob tro, roeddynt yn ysgafnhau'r dydd.

Cymeriad arall a ddôi i'ch cyfarfod o dro i dro oedd Dic Deryn y trempyn. Os oedd *wardrobe* Meri yn druenus, roedd casgliad dillad Dic yn esiampl i bawb. Ddegawdau'n ôl, clywodd am haelioni rhyw gymwynaswyr mynachaidd ym Mlaenau Ffestiniog, ac felly cerddodd yr holl ffordd yno i weld be oedd be. Yn ôl pob sôn, roedd y cymwynaswyr yn ymweld â byddigions mawr y sir i gasglu dillad, a'r canlyniad oedd fod tramps yr ardal honno yn gwisgo'n well na neb o'u cwmpas – heblaw am y byddigions, wrth gwrs. Daeth Dic adref efo casgliad helaeth o ddillad drud, ac edrychai fel dandi ar bob achlysur. Ni wyddai neb heblaw Huw a finnau lle byddai o'n cadw ei ddillad ysblennydd, ei hetiau godidog a'i deis lliwgar, ond pan gerddai drwy'r pentref yn chwerthin ac yn chwibanu edrychai fel *film star* go iawn. Dyna sut y cafodd ei enw – roedd o'n medru dynwared pob aderyn dan haul, er bod ei *repertoire* wedi crebachu fel y disgynnai'r dannedd o'i geg, fesul un. Ar ddiwrnod o law gwelid ymbarél uwch ei ben – ymbarél merch, mae'n wir, un werdd â rhidens wen. Clywid ef yn dod o bell, yna gwelid yr ymbarél yn nofio uwchben y cloddiau. Ar un adeg, pan oedd o'n ifanc, roedd Dic wedi bod yn iawn; fo oedd y bachgen cyntaf erioed i roi sws i mi, yn iard yr ysgol. Ond un diwrnod aeth ei feddwl o ar chwâl, a fuodd o ddim yr un fath wedi hynny. Heliai dusw o flodau gwyllt ar y ffordd wrth gerdded, a rhoddai nhw i'r person cyntaf a welai – boed yn ddyn, yn ddynes, neu'n blentyn bach. Galwai'n aml ar wragedd fferm y fro, â thusw o flodau yn y naill law ac wy newydd ei ddodwy yn y llall. Duw a ŵyr lle cawsai o'r wyau hyn, ond yn amlwg wyau wedi eu dwyn oeddynt. Câi frechdan a phaned, neu weddillion cinio neithiwr, os oedd rhywfaint ar ôl. Ni fyddai Dic druan yn gwneud llawer o sens, ond ailadroddai yr un gair pob tro pan wthiai'r tusw i'ch dwylo: 'Anhweg', meddai ond gwyddem mai *anrheg* oedd y gair ar ei wefus. Dyna oedd pwrpas a byrdwn ei fywyd. Mynnai roi 'anhweg' i bawb, pob dydd o'r flwyddyn. Mae o dal wrthi, hyd y gwn i. Weithiau, er yn bur anaml, gwelech Dic a Meri yn dod i'ch cyfarfod, law yn llaw, efo hithau'n dal tusw o flodau fel priodferch.

Edrychwn ymlaen at weld ambell wyneb yn fwy na'r gweddill, ond yr un a godai fy nghalon bob tro oedd yr un a berthynai i Elgan Evans Dolfrwynog.

Adwaenwn Elgan ers pan oedd o'n bump, a finnau'n dair ar ddeg oed, yn dechrau ar daith bywyd hir yn gweithio fel morwyn yn Nolfrwynog. Ymysg y gorchwylion ysgafn a roid i mi ar y dechrau oedd y dasg o gadw llygad arno ar y buarth, a mynd â fo am dro i lawr i'r afon pan oedd y teulu'n brysur – pan oeddynt yn cneifio, neu'n hel y gwair i'r helm, er enghraifft. Deuai ei frawd Gwyn efo ni weithiau, ond gan amlaf roedd o yng ngofal ei fam.

Daeth Elgan a minnau yn ffrindiau mawr ymhen dim. Rhedai Elgan i fy mreichiau cyn gynted ag y gwelai fi. Roeddwn yn hanner mam ac yn chwaer iddo ar yr un pryd. Hogyn hoffus a direidus oedd o, chwaraeem gyda'n gilydd am oriau bwygilydd. Oherwydd fy nheimladau cymhleth tuag at fy nheulu fy hun, doeddwn i 'rioed wedi medru cael hwyl gartref; ond efo Elgan profais hapusrwydd diamod am y tro cyntaf. Doeddwn i fawr hŷn na phlentyn fy hun, a chwaraeais mor llon ag yntau. Roeddem fel dwy iâr fach yr haf yn troelli ac ym ymdroi mewn cylchoedd llesmeiriol yn ein byd bach ein hunain ar rosdir cynnes y cwm, y ddau ohonom yng ngwanwyn ein dyddiau.

Aeth y blynyddoedd heibio ar wib; ymgartrefais yn Nolfrwynog, meistrolais yr holl orchwylion sy'n rhan o fywyd amaethyddol, o gorddi i fwydo'r lloi – hoffwn wneud hynny'n fawr iawn, does dim teimlad yn y byd fel rasb tafod llo yn sugno eich bysedd dan wyneb y llefrith cynnes. Roedd cant a mil o bethau yn gofyn am fy sylw bob munud o'r dydd, roeddwn wrthi fel lladd nadroedd o fore cynnar tan yr hwyr – yn gwneud y gwlâu ac yn paratoi bwyd, yn bwydo'r ieir, neu'n sefyll mewn adwy tra byddai'r dynion yn hel defaid o'r dolydd i'r mynydd. Doeddwn i ddim yn hoffi ambell i dasg, fel pluo gwyddau neu garthu ar ôl godro, er gwyddwn yn barod mai dyna oedd natur bywyd: rhaid oedd bwyta'r bresych cyn cael blasu'r deisen. Roeddwn wedi casáu mynd i'r ysgol beth bynnag, felly rhyddhad oedd bod allan yn yr awyr iach ac yn plesio fy nghyflogwyr newydd. Cawn roi arian i Mam i ysgafnhau ei baich, a chawn wisgo dillad neis i'r capel. Oedd, roedd bywyd yn braf yn Nolfrwynog, a hedodd deng mlynedd heibio fel y gwynt. Âi Gwyn ac Elgan i'r ysgol wrth gwrs, ond ar ffermio roedd eu bryd o'r dechrau. Ymadael â'r ysgol fu eu hanes, a hynny cyn gynted â phosib. Erbyn iddynt gyrraedd pymtheg oed roeddynt yn gweithio fel dynion.

Tyfodd Elgan yn strapyn o ddyn ifanc efo gwallt gwinau a chorff bocsiwr. Roedd natur ein perthynas wedi newid erbyn hynny wrth gwrs. Roeddem wedi ymneilltuo oddi wrth ein gilydd i ryw raddau, fel roedd yn naturiol i ni wneud. Mae'n wir ein bod yn herian ac yn cyboli ac yn tynnu coes fel o'r blaen, ond yn araf daeth mur anweledig rhyngom hefyd. Wedi hynny byddai Elgan yn fy ngweld i er nad oedd yn fy ngweld i chwaith. Eirlys y forwyn oeddwn i nawr, nid Eirlys ei ffrind gorau, ac nid Eirlys a fu'n tasgu dŵr iasoer dros ei groen ifanc i lawr wrth yr afon, yr anwylyn a'i dysgodd sut i wneud cadwen o lygaid y dydd yn y maes ar brynhawn o haf tesog. Bryd hynny, roeddem mor ddiniwed â'r ehedydd a hedfanai uwch ein pennau, ac mor ddiystryw â'r gwyfynod bach hyfryd a ymgasglai ymysg y gwair. Ond yna daeth y rhyfel, a newidiodd popeth dros nos.

***

Profiad unig ydi sgwennu am y gorffennol. Daw niwl ysgafn i boeni'r meddwl. Ai niwl oer y mynydd ydyw ynte tes yr haf, yno i gynhesu'r cof? Rhof fy nghlust ar fol y ddaear, fel y gallaf glywed f'atgofion yn ymrwyfo tuag ataf drwy'r pridd du fel pryfaid hudol. Bydd atgofion yn llifo'n ôl yn gynt ar rai adegau, megis yn ystod storm gyntaf yr hydref. Os gwrandawaf ar y gwynt yn chwipio'r coedydd, ac os syllaf ar y glaw yn taro'r ffenest, cludir dyddiau coll fy mhlentyndod yn ôl ar adain aderyn y ddrycin. Pan ogleuaf y pridd gwlyb, a blasu haearn y glaw ar fy nhafod, hedaf yn syth yn ôl i Gwm y Blodau, gan drigo yno unwaith eto. Fi yw'r plentyn gwlyb sydd i'w weld yn sefyll yn syn yng nghysgodion rhyw ddrws anghysbell, geneth efo llygaid dyfrllyd yn teimlo'r byd yn gafael yn ei chorff fel cawr mawr dall ar ei liniau, yn ymbalfalu am rywbeth amheuthun.

Pan oeddwn yn blentyn cawn syllu i mewn i delesgop fy mywyd gan weld ymhell i'r dyfodol – roedd popeth yn glir ac yn lliwgar; ond erbyn hyn rwy'n edrych drwy'r pen arall ac mae popeth yn edrych yn fach ac ymhell i ffwrdd. Daw tristwch i gymylu'r gwydr. O, na wyddwn yn gynt pa mor fuan fyddai'r golau'n gwibio drwy'r teclyn.

Trafodais hyn â Jan y bore 'ma. Es am dro cyn hynny ar hyd glan y môr, yn gwrando ar y tonnau'n dwrdio'r lan. Roedd y sŵn yn fyddarol, a bu bron i mi gael fy nharo gan feiciwr, felly trois am y lloches. Pan gyrhaeddais roedd Jan yno'n barod; petrusais, a gofynnais iddi os fyddai'n well ganddi fod yno ar ei phen ei hun. Na wir, meddai, roedd hi wedi dod yno i'm cyfarfod. Soniais am y môr, a gofynnais pam ei fod wedi cynhyrfu a hithau'n fore mor dawel.

Awgrymodd fod storm rhywle ar y môr, ymhell i ffwrdd efallai, a'i bod wedi gyrru neges biwis i'r tir. Chwarddais yn ysgafn. Roedd hynny braidd fel y gorffennol, meddwn innau, teimlir ei gerydd ymhell yn y dyfodol.

'Wel wir,' meddai hithau, 'rwyt ti'n grafog iawn y bore ma, Eirlys bach.'

Edrychais arni drwy gornel fy llygad. Ai bod yn wawdlyd oedd hi? Dw i ddim yn gwir ddeall pobl y dref eto, gallant fod yn ystrywgar iawn ar brydiau.

Penderfynais fod yn rhaid i mi ymddiried ynddi rywfaint.

Doedd Anwen yn dda i ddim – roedd hi wedi anghofio'r cwm erbyn hyn ac wedi mopio'n llwyr â'i *net curtains*. Gofynnais i Jan os oedd hi wedi bod yn briod – fe wyddwn mai sengl oedd hi bellach.

'Do, teirgwaith,' atebodd

Teirgwaith? Esgob annwyl, doeddwn i erioed wedi cyfarfod neb oedd wedi bod yn briod ddwywaith, heb sôn am *deirgwaith*.

Synnwyd fi gymaint nes i mi fynd yn hollol dawel. Daeth cant a mil o gwestiynau i 'mhen, yn union fel cynulleidfa yn codi'u dwylo ar ddiwedd cyfarfod cyhoeddus. Oedd hi wedi caru tri gŵr gwahanol, wir yr? Un ar ôl y llall, fel herins? Pa un oedd hi wedi ei garu fwyaf, be ddigwyddodd iddynt oll, oedd hi'n gobeithio priodi unwaith eto? Ond arhosais yn ddistaw bach dan yr ywen fawr ddulas.

'Digon tebyg dy fod ti isio gwybod be ddigwyddodd iddyn nhw, a pha un roeddwn i'n ei garu fwyaf,' meddai Jan mewn llais bach blinedig. Edrychais i lawr ar fy nwylo a dechreuais ffidlan â botymau fy nghôt.

'Y cyntaf, wrth gwrs. Y cyntaf yw'r unig un pwysig. Ar ôl hynny, rhithiol yw'r cyfan ac os aiff rhywbeth o'i le tydi rhywun mond yn chwilio am gopi o'r cyntaf.'

Cnois ar ei geiriau.

'Be ddigwyddodd iddo fo, y cariad cyntaf?'

'Y rhyfel.' Edrychodd yn syth o'i blaen, tua'r angel marmor agosaf, ond ddywedodd hi ddim byd arall am dipyn.

'Cofio caru yw'r peth pwysig,' meddai drachefn. 'Mae cofio amdano – cyfarfod am y tro cyntaf, yr oriau efo'ch gilydd, y gusan gyntaf – yn felysach o lawer na'r profiad ei hun. Dw i'n meddwl weithiau mai dyna yw prif bwrpas caru – i ni gael hel atgofion, i ni gael trafod cariad fel 'da ni'n wneud rŵan.'

Argol, roedd hi wedi dweud lot yn sydyn. Aeth fy mrêns i'n stwnsh rwdan, roeddwn i'n methu dweud gair.

'Bioleg ydi'r cyfan wir' meddai wedi synfyfyrio am chydig. 'Ein hunig bwrpas ar y ddaear ydi cenhedlu plant, yna cawn fynd yn ôl i'r gofod. Ond rydan ni'n coluro'r gwirionedd syml hwn yn union fel rydan ni'n coluro'n hwynebau, mewn ymgais i roi lliw i'n bywydau bach dibwys.'

Syllais ar yr angel agosaf, a sylwais fod malwen wedi parcio'i chragen dan glust dde'r cerflun. Edrychai fel clustdlws. Gwyddwn, ar yr un pryd, bod rhaid i mi ddweud rhywbeth neu byddai Jan druan yn tybio 'mod i'n hollol di-glem.

'Mae'n ddrwg gen i glywed am...be oedd ei enw fo?'

'Huw,' meddai.

Es i'n ddistaw fel y bedd, daeth rhyw hisian rhyfedd i'm clustiau. Mae'n rhaid 'mod i wedi gwynnu oherwydd gofynnodd Jan oeddwn i'n iawn.

'Ydw,' atebais. Ond pan edrychais i fyny at y falwen eto, roedd niwl wedi disgyn dros y byd.

'Huw,' dywedais ymhen amser. 'Dyna oedd enw fy nghariad innau hefyd. A milwr oedd yntau hefyd.'

Teimlais law yn gafael yn fy llaw innau.

Yna, yn nistawrwydd ein cuddfan, clywais Jan yn cydymdeimlo gyda mi, mewn ffordd na allwn innau gydymdeimlo gyda hi. Trawyd fi'n syn gan y profiad. Aeth pob teimlad o'm gwefusau, tyfodd y twrw yn fy nghlustiau nes bu bron i mi lewygu.

Gafaelais yn dynn yn ei llaw a diolchais iddi.

'Rhaid i mi fynd rŵan,' dywedais mewn llais gwan. 'Wela'i chi fory, gobeithio.'

***

Roedd Elgan wedi newid pan ddychwelodd o'r rhyfel. Roedd o ymhell yn ei fyd ei hun, yn ochelgar, yn llym ac yn finiog.

Yn y cyfamser, roedd Gwyn wedi gweithio'n galed ar y fferm, fel roedd hi'n ofynnol ar y mab hynaf, ac ychwanegwyd dwy ffridd newydd wedi'u crafangu o'r mynydd, dan orchymyn y llywodraeth. Gwnaed hyn dros y wlad i gyd, er mwyn darparu cymaint o fwyd ag y gellid. Dychwelodd Elgan i fferm wahanol felly, a gwelodd fod y rhyfel wedi effeithio ar bawb, nid ar y milwyr yn unig.

Dywedai pobl fel Siani High Heels mai rhyfel 'hawdd' gafodd Elgan. Ond nid ei ddewis o oedd hynny. Diolch i'r drefn, roedd o'n rhy ifanc i ymuno ar ddechrau'r gyflafan ac ni ddaeth ei bapurau tan bod y gwaethaf drosodd. Gyrrwyd ef i wersyll hyfforddi yn Lloegr am chwech wythnos, yna anfonwyd ef i bellteroedd yr Alban – rhywle o'r enw Scapa Flow – i ymuno â chriw un o'r gynnau mawr yn amddiffyn yr harbwr yno; fan'no oedd cartre'r llynges yn ôl pob sôn. Yn ogystal, bu'n rhoi cymorth i gadw trefn ar y llu o garcharorion Eidalaidd a yrrwyd yno i adeiladu rhagfuriau enfawr i atal sybmarîns y gelyn. Waeth i Siani – a'i ffrindiau bach cegog – heb â achwyn ynglŷn a chyfraniad Elgan i'r rhyfel; basa llawer o'r dynion aethai draw i'w chartref i 'ymweld' â hi wedi marw o fraw cyn cychwyn. Fe wnaeth Elgan ei orau, a dyna fo.

Ychydig iawn welwyd ohono ar ôl iddo ddychwelyd. Am dros flwyddyn, bu'n gysgod yn y coed, dieithryn mud na fynnai wneud dim byd efo neb. Gweithiai'n galed yn y caeau, dôi adref am ei fwyd, ac yna âi'n syth i'w wely. Roedd yn anodd cael gair o'i ben ar adegau. Efallai fod y profiad wedi bod yn sioc iddo. Roedd o wedi cael byw, tra roedd eraill wedi'u lladd. Yn wir, roedd nifer o'r rhai ddychwelodd yn teimlo cyfuniad o lawenydd ac euogrwydd.

Roedd bron pawb yn galaru wrth gwrs, a newidiais innau hefyd. Collais fy ffydd. Bu bron i mi adael yr ardal, i greu bywyd newydd i fi fy hun ymysg y Cymry ar wasgar. Ond aros wnes i – er mwyn bod o gymorth i hogia Dolfrwynog. Roedd yn benderfyniad tyngedfennol, er na wyddwn hynny ar y pryd.

***

Daeth yr hen Elgan, neu rhywbeth agos iawn ato, yn ôl i ni ymhen amser. Roedd fel petai'r dyn wedi cerdded yr holl ffordd o Scapa Flow, drwy'r glaw a'r eira, er mwyn cael bod yn ôl yn ei hen gartref. Daeth i ddisodli'r rhith helbulus a wisgasai ei ddillad am flwyddyn.

Magodd dipyn o gnawd ar ei ffrâm esgyrnog. Yna tyfodd ei wallt yn gnwd gwinau afreolus, a thyfodd fwstás *bandito* trwchus – roeddynt yn ffasiynol bryd hynny. Ar ôl dipyn o haul edrychai fel *desperado* o Mecsico, newydd ddianc o'r carchar.

Daeth yr hen olau yn ôl i'w lygaid; roedd yn chwareus unwaith eto, ac yn ddireidus.

'Rwyt ti'n ôl, Elgan,' meddwn wrtho un bore ar ôl godro. Roeddem yn paratoi'r llefrith i gael ei gasglu gan y lori laeth.

'Ond dwyt ti ddim, Eirlys,' atebodd yntau.

Trawyd fi gan ordd ei eiriau. Lledodd niwl dros fy llygaid, a disgynnodd fy nagrau i mewn i'r llif gwyn. Syllais ar y ffrwydradau bychain ar wyneb y llefrith. Yna teimlais ei fraich dros fy ysgwydd, yn fy nhynnu ato. Plannais fy mhen rhwng ei wddw a'i ysgwydd. Anadlais ei groen am y tro cyntaf ers cyfnod ein hieuenctid, a theimlais fy ngrudd yn gwlychu ei groen. Ymatebais i fwynder ei fysedd yn cyffwrdd â'r dagrau ar fy moch. Aeth gwefr drwof, caeais fy llygaid gan ymbaratoi i'w gusanu. Ond gwelais y perygl mewn pryd a rhwygais fy nghorff o'i afael. Trois yn ôl at fy ngwaith, ond pan ymgrymais eto dros y llif gwyn roeddwn yn crynu fel deilen. Bu bron i mi wneud ffŵl ohona'i fy hun.

Clywais ef yn dweud un gair, drosodd a throsodd.

'Amser, amser, amser... mi gymerith amser i ni ein dau Eirlys. Ond mi ddaw, wsti. Daw popeth yn iawn gydag amser.' Ddywedais i yr un gair, ni allwn siarad. Efallai basa Elgan wedi newid ei feddwl pe bai o'n gwybod cyfrinach fy nghalon.

Aeth Elgan braidd yn wyllt ar ôl tyfu ei fwstás blewog *bandito*. Y gwir amdani yw doedd y tyfiant ddim yn siwtio'r dyn ac roedd genod y cwm yn gwneud hwyl am ei ben. Ailenwyd ef yn Elgan Siani Flewog. Ond ofer fyddai dweud ddim byd wrtho. Pe gofynnech i mi sut olwg oedd arno, sut fath o argraff a wnâi ar bobl, atebwn fel hyn: roedd y dyn o'ch blaen yn wladuidd ac yn ddirodres. Pan arhosai Elgan ar ochr y ffordd yn ei Standard 8 pickup, yn disgwyl i chi basio, fe sylwech efallai fod golwg y diawl ar y cerbyd. Roedd yn rhydlyd ac yn llawn tolciau; yn sicr, ni chafodd ei olchi erioed, ac eithrio am ambell drochiad mewn cawod o law taranau. Wyddech chi ddim be welsech chi wrth sbecian yn y cefn – defaid, ŵyn, lloeau bach, polion, weiran bigog, offer wedi torri ac ar ei ffordd i'r gof...

Byddai Elgan yn disgwyl yn amyneddgar i chi ddod gyferbyn â fo, yna byddai'n eich cyfarch ac yn dechrau trafod yr hyn mae ffermwyr wastad yn hoffi trafod – y tywydd, prisiau ŵyn, cyflwr y tir ac yn y blaen. Oedd, roedd Elgan yn medru janglo cystal â neb yn y cwm. Eisteddai'n edrych arnoch efo hanner sigarét y tu ôl i'w glust a rhyw bwt o laswelltyn rhwng ei ddannedd. Gyda'i benelin yn gorffwys ar ochr y ffenestr, byddai'n codi ei gap pig â bys a bawd ac yn cosi ei ben gyda bysedd yr un llaw – ystum sy'n gyffredin iawn ymysg ffermwyr y wlad. Bryd hynny, roedd modd i chi weld mymryn o foelni'n ymddangos, neu chwaliad o hadau gwair yn edrych fel *hundreds and thousands* ar ben cacen pen-blwydd. Byddai Elgan yn hanner cau ei lygad chwith weithiau pan oedd o'n stwnsian, fel pe bai o'n wynebu'r haul, ond gwnâi hynny ym mhob tywydd, felly rhyw ystum bach personol ydoedd – ac un hynod o ddengar. Arwydd ydoedd o fwynder a thynerwch ei gymeriad, a'i swildod cynhenid.

Medrai fod yn wirioneddol ddigri hefyd; gallai ddynwared pobl a dweud pethau crafog iawn wrth drin y byd a'r betws.

Ond y gwir yw doedd 'na ddim byd arbennig iawn am Elgan Evans. Ac yntau ym mrig ei ieuenctid, roedd yn hogyn iach, cryf, a gweithgar. Roedd ganddo wyneb deallus, cyfeillgar ond wyneb ffarmwr Cymraeg oedd o, nid wyneb *matinee idol* o Hollywood.

Pe byddai rhywun wedi ei gyfarfod ar y stryd fydden nhw ddim yn edrych arno ddwywaith. Wedi dweud hynny, go brin fyddai neb wedi ei gyfarfod ar unrhyw stryd, gan mai hogyn y wlad oedd Elgan. Y caeau a'r bryniau oedd ei gynefin, doedd o ddim yn teimlo'n gyfforddus yn y dref. 'Hogyn hen ffash', chwedl Mam.

Mewn hen luniau ohono gwelir stwcyn gwladaidd â chloc ei draed yn dangos deg munud i ddau. Gwisgai sgidiau hoelion mawr lledr du, a dynodent fod y traed y tu mewn iddynt yn perthyn i ddyn cadarn. Ym mhob llun, bron, mae o'n gwisgo hen siaced *thornproof* werddlas a berthynai ar un adeg i'w dad. Byddai Elgan yn gwisgo'r siaced hon i fynd i'r farchnad bob wythnos, ac mae hi dal ar ei gefn o, hyd y gwn i. Gwnaed hi i bara am byth, fel Elgan ei hun. Dengys y lluniau fod pocedi'r siaced hon wedi pesgi a bolio dros y blynyddoedd, gan fod Elgan yn euog o stwffio pob math o geriach i mewn iddynt cyn cychwyn ar ei waith beunyddiol – hoelion chwe modfedd, staplau, cortyn beilio, cyllell, hen frechdan gaws – wyddech chi ddim be i ddisgwyl wrth roi eich llaw i mewn ynddynt. Roeddynt yn f'atgoffa o'r pynnau blawd a gludwyd gan hen ferlen Ifans Tai Pella.

Yn union fel y cloc wyth niwrnod yn y parlwr, roedd bywyd Elgan yn dibynnu ar fecanwaith syml ar y wyneb, ond eto'n gymhleth, ac ynddo lu o gogau bach yn gyrru llif swynol y peiriant mawr. Roedd y Big Ben y tu mewn iddo'n taro'n soniarus pan ddôi pob tymor newydd: clywid y *dong, dong, dong, dong* bob gwanwyn, haf, hydref a gaeaf. Yna, clywid cydolsain newydd pan ddôi'n amser hau a medi, i dorri'r cloddiau ac i glirio'r ffosydd. Ac yn olaf, fe glywid tic-toc bach swynol yn mesur yr holl orchwylion dyddiol, o wrando ar ragolygon y tywydd bod bore hyd at fwydo'r cŵn bob nos.

Roedd yn Gymro i'r carn. Ond chwedl a myth oedd yr hen wlad iddo, gan mai ychydig iawn ohoni a welodd erioed efo'i lygaid ei hun; dyna oedd stori y rhan fwyaf ohonom cyn dyfod yr oes fodern. Roedd y byd yn anferthol, yn ddifesur, ac roedd Cymru o leiaf ddegwaith cymaint ag ydyw heddiw.

Ia, hogyn y wlad oedd Elgan – ond dan yr *hundreds and thousands*, a'i swildod anymwthgar, roedd 'na feddwl craff; gwyddai lawer iawn mwy na fi am y byd mawr y tu draw i'r cwm. Roedd yn darllen y papurau, a gyda'r nos – os nad oedd o wedi llwyr ymlâdd – byddai'n darllen llyfrau hanes a thraethodau gwleidyddol, yn ogystal â'r *Herald Gymraeg* a'r *Farmers Weekly* wrth gwrs.

Siaradai gyda phawb, a thrafodai unrhyw bwnc, ond byddai Elgan yn ei elfen pan oedd ymysg y ffermwyr eraill yn y mart wythnosol, a gynhelid bob dydd Llun yn y dref sydd bellach yn gartref i mi. Cyn gynted ag roedd ei ŵyn yn eu corlannau – ac mi roedd o'n giamstar ar wybod sut i gyrraedd ar yr amser gorau – âi i'r cantîn werdd i nôl brechdan ham a phaned o de, lle ardderchog i ddechrau ei gymówt ymysg y ffermwyr eraill. Yna âi o'r naill ffermwr i'r llall i drafod a chymharu, cyn amseru ei ddychweliad i'r sêl; byddai'n siŵr o gael y pris gorau, wrth iddo herio'r ocsiwnïer i ddal ati tan byddai'r *dealer* olaf ar fin ysgwyd ei ben. Câi stwnsian dipyn eto cyn nôl ei bres o'r swyddfa, yna âi i'r dref i nôl y moethau a'r offer a archebwyd gan bawb arall yn Nolfrwynog.

Doedd dim ots be roddai'r byd o'i flaen, neu be ofynnech iddo, roedd Elgan wastad yn ymateb fel pe na bai o 'rioed wedi gweld na chlywed y fath beth o'r blaen. Edrychai braidd yn syn bob tro, hyd yn oed os mai Tŵr yr Eiffel neu dipyn o dwll mewn clawdd a welai o flaen ei lygaid.

Pe baech yn ddieithryn byddai'n ymddwyn yr un fath yn union. Ni fuasai Elgan byth yn syllu arnoch yn gegrwth fel y gwnâi Meri, gyda'i llygaid fel soseri, ac ni châi ei daro'n fud fel aml i un arall yn y cwm. Yn sicr, ni fasa fyth yn pasio neb heb sylwi arnynt. Na, buasai Elgan wedi diffodd injan yr hen Standard 8, wedi gosod ei fraich ar lintel y ffenest, wedi hanner cau ei lygad chwith, ac wedi mynnu dal pen rheswm hyd yn oed pe bai'r person hwnnw ar gythraul o frys. Ymhen pum eiliad byddai wedi eu pwyso a'u mesur cystal pob blewyn ag un o'r *graders* yn y mart wythnosol.

Os nad oedd o'n adnabod rhywun, a fyddai hynny ddim yn digwydd yn aml, âi ati fel *Columbo* i wybod pwy oedden nhw. Gwnâi hynny mewn ffordd ddistaw a chyfrwys, llwynogaidd, ac ymhen dim buasai'n gwybod enw'r dieithryn a'i gynefin. Wedyn âi ati, fel compiwtar, i drefnu ei achau, wrth hel i gof pwy oedd pwy yn ei deulu – pa un oedd wedi priodi merch Jini Tŷ Capel, pa un oedd wedi mynd yn fethdalwr, a pha un oedd yn ddoctor mawr yn Llundain.

Pe byddai unrhyw un yn ei holi beth oedd ei enw, atebai:

'Elgan Dolfrwynog.' Rhoddodd yr un ateb i'r *Sergeant Major* yn Scapa Flow, a phan ofynnwyd iddo lle gythraul oedd fanno, atebodd 'Cwm y Blodau, Sir.' Chwarddodd y milwyr eraill a bu rhaid iddo olchi llawr y ffreutur efo brwsh dannedd. Dyna fu ei gosb am ddweud y gwir.

Ar ôl dod yn ôl o'r rhyfel, y cwm oedd yr holl fyd iddo. Roedd yr hen aelwyd yn Nolfrwynog bron yn sanctaidd i Elgan. Ac er iddo ddefnyddio hen wely haearn ei daid i lenwi bwlch yn y clawdd, a gadael hen geriach i rydu dros bob man fel pob ffermwr arall, coeliai Elgan Evans bod Dolfrwynog yn rhan o'r nefoedd. Ehedai ysbryd y Dyn Mawr dros y tir fel aderyn grasol; doedd dim rhaid iddo fynd i'r eglwys – câi gyfarfod yr Ysbryd Glân wrth giât y mynydd ar fore o wanwyn pan fyddai'r ŵyn yn sugno'u mamau, neu ar brynhawn o haf pan gerddai y tu ôl i'r certiad olaf o wair ar ei ffordd i'r gadlas.

Doedd gwyliau ddim yn bodoli i ffermwyr bryd hynny, ond ar ôl yr holl waith ar hyd y flwyddyn, caniateid i un o'r brodyr fynd am 'chydig o ddyddiau i sioe flynyddol y Smithfield yn Llundain – ymysg diadell o ffermwyr eraill o'r fro, wrth gwrs. Aent yno ar y trên, tua mis cyn y Dolig, pan fyddai'r cnydau yn ddiogel yn yr helm. Elgan âi ran amlaf, doedd Gwyn ddim yn hoff o drafaelio. Esgus i ddiota ac i fwynhau tipyn o ffwlbri oedd y tripiau hyn yn ôl pob sôn, ac ni châi llawer o fusnes ffermio ei wneud. Gwnaeth Elgan rêl ffŵl o'i hun un flwyddyn: gofynnodd i blismon lle roedd y mynediad i'r *underworld*, er mai'r *underground* oedd mewn golwg.

Ifanc oedd Elgan bryd hynny. Roedd ganddo freuddwydion fel pawb arall am ei ddyfodol ef ei hun, a dyfodol yr hen aelwyd hefyd. Roedd y ddau'n annatod. Doedd o ddim yn trafod ei fywyd efo fi, ond cymerwyd yn ganiataol gan bawb fod Elgan yn dymuno cael gwraig a phlant, yn union fel ei gymdogion. Byddai'n awyddus i gael pob cae mewn trefn a'i gloddiau yn ddi-fwlch ac yn drwchus – fel na allai hyd yn oed aderyn fynd trwyddyn nhw, fel y dywedai'r hen bobl. Dymunai wella ansawdd ei dir a'i stoc, a gyda lwc basa'r Gymdeithas Amaethyddol yn gofyn iddo feirniadu yn sioeau y fro. Dymunai wneud enw iddo'i hun, rwy'n siŵr, fel amaethwr o fri a defaid a gwartheg gwerth eu gweld – o bosib y gorau'n y sir – efo rhes o roséts cochion yn dyst i hynny ar silff ucha'r ddreser fawr dderw yn y parlwr.

Efallai, gyda chynildeb a thipyn o lwc, byddai Gwyn ac yntau yn gallu ychwanegu at eu tiroedd pe deuai fferm gyfagos ar y farchnad. Gallent sefydlu dwy aelwyd yn lle un, a châi'r ddau ohonynt ffermio ochr yn ochr, gan ychwanegu at eu stoc teuluol yn ogystal â'u stoc yn y caeau.

Breuddwydion…do, buom ni oll yn ifanc unwaith, yn llawn gobaith. Buom yn caru ac yn cenhedlu, yn chwarae ac yn chwerthin. Profasom hyn oll yn y byd go iawn os oeddem yn lwcus, ond digwyddasant gan amlaf rhwng cyfnos a gwawr, yng nghoedwigoedd llwydolau cwsg. Fe wyddom ni oll nad yw Ffawd yn darllen ein llythyrau ni bob tro; dydi Siôn Corn ddim yn nodi pob cais ar ein rhestr teganau.

Yr ifanc a ŵyr, yr hen a dybia. Hwyrach fod Mam wedi rhoi ei bys ar y botwm un noswaith pan gyfeiriais at Elgan, a'i gampau di-ri.

'Mae Elgan yn hen hogyn iawn, mae 'na ddigon yn ei ben o, ond wsti be, rwy'n poeni amdano fo braidd. Mae o'n rhy neis, rhywsut.'

'Be 'da chi'n feddwl, Mam, sut fedrwch chi fod yn *rhy neis*? Dydw i'm yn deall.'

'Mae o'n rhy fwyn, yn rhy… garedig.' Roedd hi'n ymbalfalu

am eiriau, doedd hi ddim am fy mrifo oherwydd gwyddai pa mor amddiffynnol oeddwn i ohono.

'Mae'n bosib bod yn rhy ffeind wyddost ti. Mae'r hen fyd ma'n medru bod yn anfaddeuol iawn – rhaid i ti sefyll ar ambell i gorn weithiau os wyt ti am lwyddo. Bydd rhaid i Elgan wthio'i hun i flaen yr ocsiwn os ydi o am brynu'r mochyn du.'

Mam druan. Ai gwendid oedd bod yn syber ac yn onest?

Tra casglai'r gwyll o'n cwmpas, chwiliais am ystyr i'w llith. Syllais ar y gannwyll fach yn dawnsio yn ei chylch fach o olau, ac yna deallais arwyddocâd geiriau Mam. Gydag un cam gallwn diffodd y fflam, a deuai düwch y nos yn ôl i foddi'r ystafell.

***

Yna aeth Elgan drwy gyfnod oriog, aflonydd. Nid y fi oedd yr unig un i sylwi. Daeth Dafydd Tŷ Newydd ata i ar ôl cyfarfod o'r Gymdeithas un noson gan ofyn yn blwmp ac yn blaen, yn ei ddull arferol: 'Ydi Elgan yn iawn, dywad? Mae o fel cacynen mewn jamjar, does dim byd yn ei blesio.'

Wnes i ddim cadarnhau ei amheuon, ond roeddwn innau wedi sylwi fod rhywbeth o'i le. Sylwodd eraill hefyd, clywais fod Siani High Heels yn hau celwyddau amdano. Dywedai fod Elgan yn dechrau poeni am ei oed, ei fod yn methu cadw cariad, a'i fod yn dechrau magu clwt o dir moel ar dop ei ben.

Roedd yn wir nad oedd wedi canfod cariad sefydlog. Ac mi roedd hynny'n od, gan fod digon o ddiddordeb ymysg y merched. Parhâi ambell garwriaeth yn hwy nag un arall, ond diffodd wnaent oll yn y diwedd. Âi allan efo merch am gyfnod, edrychai'r sefyllfa yn addawol iawn, yna *phwt!* – roedd y berthynas wedi darfod, fel pe bai aradr Elgan wedi cyrraedd pen y dalar unwaith eto ac yntau wedi gorfod troi rownd a dechrau cwys newydd sbon.

Ar Elgan oedd y bai bob tro, meddai ambell un. Doedd o ddim yn barod i rannu'i fywyd, roedd ganddo ofn ymrwymo'i hun.

Parhau wnaeth hyn am dipyn go lew, heb dod â boddhad i neb. Yna, ar ôl Elin Tyddyn Mwsogl, aeth pethau o ddrwg i waeth. Doedd dim sbarc ynddo a disgynnodd i dwll du iawn. Aeth yn ddistaw unwaith eto a dychwelodd yr Elgan hwnnw a ddaethai'n ôl o'r rhyfel, yn chwerw ac yn finiog.

Roedd yn boenus i'w weld felly. Cydymdeimlwn ag ef, oherwydd teimlwn innau ei boen hefyd, ond ddywedais i yr un gair. Dwi ddim yn meddwl i unrhyw un geisio siarad ag o am y peth, dim hyd yn oed ei frawd. Bryd hynny, fyddai pobl ddim yn trafod eu problemau personol, nid fel y byddan nhw heddiw – ar unrhyw gyfle, pob awr o'r dydd.

Hefyd, roedd traddodiad o briodi'n hwyr yn y teulu. Roedd Gwyn ei frawd yn hen lanc ac mi roedd yntau'n hynach byth; hyd y gwyddwn i doedd Gwyn *erioed* wedi mynd gyda merch, roedd o'n waeth na'i frawd. Swildod oedd yr achos, mae'n siŵr gen i. Doedd dim posib nad oedd y ddau'n gwybod be i neud, gwelsant natur wrthi'n perfformio o'u cwmpas bob awr o'r dydd.

Ar y llaw arall, efallai mai dyna oedd achos eu swildod – gormodedd. Gormodedd o ryw diserch; gormodedd o ailgenhedlu diystyr.

***

Daliais y bws bach sy'n mynd i ben y penrhyn mawr uwchben y dref y bore 'ma. Mae caffi bach yno, ac ar ôl mwynhau paned es am dro i'r warchodfa natur ar y trwyn. Yna eisteddais ar un o'r meinciau ar y llwybr, pob un ohonynt yn gofeb i rywun fel fi a hoffai ymweld â'r lle i fwynhau yr olygfa fendigedig.

Cysgai'r dref oddi tanaf, a bu bron i mi hepian yn y tes. Doedd dim symudiad ar y môr chwaith; roedd y llongau fel pe baent wedi'u paentio ar y gorwel, ac roedd yr ynys fel malwen dew ynghwsg ar gwar o wydr.

Hedd, perffaith hedd – dyna pam es i yno. Nid oeddwn i am gael cwmni neb – dim hyd yn oed Jan. Henaint sydd wedi achosi'r chwilio parhaol hwn am lonyddwch, rwy'n amau. Llonyddwch Dolfrwynog ar fore o haf, llonyddwch y mynydd uwchben y ffriddoedd. Distawrwydd y cynfyd: dim ond ambell i sŵn naturiol – ceiliog yn clochdar yn y pellter, iâr wedi dodwy wy yng ngwair yr helm, sŵn yr afon, sŵn y gwynt. Sŵn gwenyn yn mwmian, sŵn plant yn chwarae.

Yna, disgynnodd fy ngolwg ar gylch o flodau bach glas wrth droed y fainc, cwmni bach hyfryd o wynebau siriol. Roeddent yn f'atgoffa o fore arall yn fy mywyd, ymhell yn ôl, pan rwygais fy hun o afael Elgan yn y *dairy*. Pan gliriodd y dagrau o'm llygaid y diwrnod hwnnw, sylwais ar rywbeth na welais erioed o'r blaen – cylch bach o flodau glas o amgylch un o'r pyst yn dal y drws. Ni welais hwy cyn y diwrnod hwnnw ac eto roedden nhw wedi bod yno ers tro. Weithiau rhaid wrth fraw i weld rhywbeth mor amlwg â chariad. Ond ni welodd neb ddyfodiad y ferch yn y wisg werdd. Ni welodd neb sut effaith y câi hi ar y fro, nac ar Dolfrwynog yn arbennig.

Pennod 3

DOES DIM DIGON o nerth na gallu yn yr hen gorff 'ma, na
digon o amser mae'n debyg, i mi allu dweud yr holl stori.
Dyna sut rwy'n teimlo heddiw. Dydi beiro rhad a llyfr nodiadau
o Woolworths ddim yn mynd i ail-greu bywyd Elgan, nac yn
mynd i ddod â'r ferch yn y wisg werdd yn ôl i'r presennol, nac
yn mynd i ddadebru fy muchedd yn Nolfrwynog chwaith.
Gwlad bell yw'r gorffennol.

Daeth plwc o iselder drosof ddoe ynghylch fy ngallu efo pin
a phapur, ond rwy'n teimlo'n sicr fod rhyw gymhelliad neu
rym arallfydol yn fy ngorfodi i barhau â'r stori.

I wneud pethau'n waeth, nid yw'r lloches yn y fynwent yn
lloches i mi bellach. Daeth annifyrrwch i fy anesmwytho yn y
fan honno hefyd. Trafodais hyn efo Anwen; gofynnais iddi a
oedd posib prynu cwt bach pren i'w roi yng nghornel bellaf
yr ardd, lle cawn synfyfyrio mewn distawrwydd. Hafod i mi fy
hun, lle cawn fynd i warchod fy mhraidd o eiriau afreolus.

'Be haru ti, dywed?' meddai Anwen. 'Rwyt ti fel hen ast yn
troi ac yn trosi yn ei gwely, yn methu setlo.'

Ddaru hynny fy mrifo cymaint â slap go iawn. Pa hawl oedd
ganddi hi i ddweud pethau brwnt wrth ei chwaer ei hun?

'Dydw i ddim wedi gallu setlo fel chdi', atebais. 'Mae'r lle ma
mor ddiarth, does dim llonydd i'w gael.'

'Pam wyt ti isio llonyddwch beth bynnag?' atebodd hithau.
'Gest ti ddigon o hwnnw yn Nolfrwynog, siŵr.'

Yna aeth fy chwaer yn ôl i'w *net curtains* i sbecian. Doedd ganddi ddim amynedd efo fi na nghwest. Doedd hi ddim isio cofio'r cwm. A doedd hi erioed wedi maddau i mi am ei gadael i edrych ar ôl Mam a Dad yn eu henaint, tra roeddwn innau yn mwynhau bywyd ar y fferm.

Es allan o'r tŷ mewn dipyn o hwrdd, yna cerddais ar hyd y promenâd. Clywais eiriau fy chwaer yn atsain yn fy mhen, drosodd a throsodd, fel carreg ateb. Troi a throsi fel hen ast, wir!

Ond ar ôl 'chydig daeth syniad i 'mhen. Cofiais am y cŵn yn Nolfrwynog – Mot, Fflei, Jess a llawer un arall. Roedd pob ci, rhywsut, wedi cynrychioli cyfnod ym mywyd y fferm. Cofiais Mot yn ein dilyn i lawr i'r afon pan oedd Elgan yn fychan; roedd Mot yn hen ac yn hanner dall, ond dilynai Elgan i bobman, fel petai o wedi cael ordors i warchod y plentyn. Yna, yn ei arddegau, cafodd Elgan ei gi ei hun – Fflei, ac mi fynnai honno hefyd fod wrth ei ochr bob awr o'r dydd, os câi. Dilynai ef i'r ysgol hyd yn oed. Gwelaf y ddau ohonynt nawr, yn mynd i lawr y ffordd tua'r ysgol; gwelaf Elgan yn troi ac yn codi'i law tuag at adref, yn ei gorchymyn i fynd yn ôl hebddo. Ar ôl iddo wneud yr un ystum droeon deuai'r ast yn ôl efo'i chynffon rhwng ei choesau, a phan ddeuai'r amser iddo ddychwelyd adre byddai Fflei yn disgwyl amdano wrth giât y buarth.

Yna, ar ôl Fflei, daeth Jess i'w fywyd – y ci gorau a welodd y fro erioed, medden nhw. Daw darlun ohoni i'm meddwl – ast fach ddu a gwyn efo patsys rhudd-lwyd. Byddai Jess wrth ei ochr bob amser, yn ail i'w meistr yn sêt flaen y Standard 8. Roeddynt fel cariadon.

Ac yna daw haid o atgofion yn ôl, yn llifo drwy'r bylchau yn fy nghof. Dwi'n stopio'n stond, yn edrych ar y môr. Aiff y byd yn ddistaw, yna clywaf glychau beics yn swnian. Pan edrychaf tua'r twrw gwelaf fab a merch ifanc ar eu beics, yn disgwyl i mi symud. Edrychant yn hapus, gwallt y ddau yn sgleinio yn yr haul a golwg ddireidus yn eu llygaid. Daw chwa o genfigen i fy mhoeni.

'Sori,' dywedaf, gan gamu o'r ffordd. Yna af yn ôl i'r gorffennol unwaith eto.

***

Be wela'i yn dod tuag ataf ar hyd y ffordd i lawr o Ddolfrwynog? Elgan, mewn cerbyd newydd sbon heb hyd yn oed farc o fwd arno eto. Daw i stop wrth giât y Maes ac aros amdana i. Cerddaf tuag ato, gan esgus nad ydw i'n malio dim am ei degan newydd.

'Bore da Mr Evans, sut 'dach chi heddiw?'

Rhydd ei benelin ar lintel y cerbyd a gwena arnaf yn rhadlon.

'*Champion* Miss Williams, a chithau?'

'Ansbaradigaethus tu hwnt, Mr Evans. A sut mae Jess heddiw?'

Edrycha'r ast arnaf o'r sêt bellaf, a gwna ymdrech fonheddig i gydnabod 'mod i yno.

'Rydych chi'n edrych yn *grand* iawn heddiw Mr Evans, rwy'n teimlo'n sicr fod rhywbeth wedi newid ond fedra'i ddim cweit rhoi fy mys arno eto...'

Aiff ei law i fyny i'w ben fel arfer, i dynnu'r cap pig ac i ddechrau cosi'i wallt. Ond nid y cap henffasiwn â phatrwm siec ac arno sblasys o pitsh defaid a hadau gwair sydd ar ei ben. Na, cap newydd sbon ydi hwn. Roeddwn i wedi sylwi o'r dechrau wrth gwrs, ond wedi smalio nad oeddwn chwaith.

'Ti'n licio'r Land Rover newydd ynte? Y gynta yn y fro! Fedra i fynd i ben y mynydd mewn chwinciad. A'i â chdi i Hafod yr Haul ar ôl cinio os lici di.'

'Rwyt ti'n rêl swanc rŵan Elgan Evans, 'dwyt ti? Rhy bwysig o lawer i fynd â morwyn fach am dro yn dy beiriant newydd.'

'Paid â herian rŵan, ddoi di?'

'Dim ond os ei di'n ôl i wisgo'r hen gap. Mae hwnna ar dy ben di fel het clown yn y syrcas.'

Syllaf ar ei benwisg newydd. Un o'r capiau newydd Americanaidd ydyw, un glas efo clamp o big. Does 'na ddim smic o faw arno eto, nac ôl budr ei fysedd ar ôl bod yn carthu'r cytiau. Ar y tu blaen mae ysgrifen bowld mewn edau euraid yn enwi'r eli drud a roddir ar dethi buchod pan fydd y mastitis arnyn nhw. Ffarmwr ydi Elgan wedi'r cyfan, nid Clark Gable.

'Be ti'n feddwl – ydi o'n siwtio?'

'O le ddiawl gest ti o?'

'Gan un o'r reps 'na sy'n dod rownd i drio gwerthu petha.'

'Wn i ddim wir... be oedd o'i lê ar y dwytha?'

'Rhaid dal i fyny efo'r ffasiwn. Mae pobl wedi bod yn cwyno 'mod i'n dechrau dangos fy oed, wnaiff hynny mo'r tro o gwbl.'

Hwyrach fod nhw'n iawn. Roedd hi'n amser iddo dacluso rhywfaint.

'Reit, wna i fargen efo chdi. Ddo i fyny i Hafod yr Haul efo chdi os wnei di siafio'r mwstás na. Mae o'n edrych fel hen siani flewog yn mynd am dro ar draws dy wyneb di.'

'Be aflwydd! Fel siani flewog? Rhag cywilydd i ti Eirlys Williams, rwyt ti wedi 'mrifo i rŵan.'

'Fel mae'n digwydd, mae genod y fro yn dy alw di'n Elgan Siani Flewog. Heb air o gelwydd!'

Taniodd ei gerbyd newydd, cystal â dweud naw wfft i chdithau hefyd, *madam*. Yna rhoddodd ei droed i lawr ac i ffwrdd â fo.

***

Ar ôl cinio, a finnau'n edrych am nythod ieir yn y sgubor, clywais sŵn diarth yn dod o gyfeiriad y buarth. Ar ôl ffeindio dau wy cynnes ymysg y gwair dyma fynd i weld be oedd yn achosi'r twrw. Ymhen dim gwelwn yr achos: y Land Rover newydd, yn sefyll yng nghanol y iard.

Amneidiodd Elgan tuag ataf.

'Tyrd o'na, neu mi fydd hi wedi tywyllu. 'Da ni'n mynd i Hafod yr Haul, dwyt ti'm yn cofio? Tyrd! Wnei di fwynhau'r reid, a beth bynnag, dwi isio gofyn rhywbeth i ti. Rhywbeth pwysig. Fysa'n well i ni fod ar ben ein hunain.'

Erbyn hyn roeddwn wedi cyrraedd y peiriant, ac roedd Elgan yn syllu arna i â'i benelin ar y lintel fel arfer.

'Rargol, be ar y ddaear wyt ti wedi'i wneud rŵan?'

Ac yn wir i chi, roedd yr hogyn yn edrych yn hollol wahanol, bron i bum mlynedd yn iau. Roedd y siani flewog wedi diflannu, a'r *sideburns* trwchus hefyd. Pan gododd ei gap i mi gael gweld ei wallt, roedd hwnnw wedi cael ei gropio bron i'r bôn – gan adael cnwd ifanc o wallt gwinau cyrliog, fel gwlân oen blwydd. Roedd o wedi ymweld â Hari'r Gof, mae'n rhaid, ac roedd yr eillio wedi newid ei wedd yn gyfan gwbl. Go brin y coeliwn be welwn.

'Wyt ti 'di colli dy dafod, dywed? Be ti'n feddwl, ydi o'n siwtio?'

Ac yna, pan ddechreuodd fy ngheg symud, rhoddodd daw arna i cyn i mi fedru dweud gair:

'Waeth i ti heb â dechrau cwyno rŵan. Ti ddaru 'ngorfodi i wneud hyn. Tyrd o'na, dwi ar frys i hel y cynefin.'

Rhedais â'r wyau i'r tŷ, ac yna rhedais yn ôl efo'm gwynt yn fy nwrn. Roeddwn ar bigau'r drain erbyn hynny; cawn fynd am dro yn y Land Rover, reit i dop y mynydd, ac roedd Elgan yn mynd i ofyn i mi...be?

Pan neidiais i mewn i'r Land Rover, efo Jess rhyngom yn y canol, sylwais 'mod i'n ofnus. Trois i weld ei wyneb yn erbyn y golau. Roeddwn yn gryndod i gyd.

***

Heddiw, rwy'n edrych yn ôl ar y cyfnod hwnnw efo corff a meddwl gwraig canol oed sy'n disgwyl llythyr unrhyw ddiwrnod o'r ysbyty. Sgan, beth bynnag ydi hynny. Ac rydw i'n rhyfeddu pa mor ddiniwed oeddwn bryd hynny. Er fy mod i wedi cyrraedd fy nhridegau, roeddwn yn llawn gobeithion. Roedd fy nghroen dal yn llyfn, fy ngwallt yn gyrliog ac yn fyrlymus. Roeddwn yn iach fel afal, medrwn weithio o'r bore bach hyd yr hwyr. Ac roeddwn yn hapus: yn canu wrth weithio, yn dawnsio efo'r 'sgubell wrth lanhau'r llofftydd. Ac eto, hyd yn oed bryd hynny, roeddwn i'n hollol ddibrofiad ym materion serch. Doeddwn i erioed wedi gyrru llythyr cariadus, nac wedi derbyn un. Ni wyddwn sut i gynnau tân serch, na sut i yrru neges gyda'm llygaid a'm hymarweddiad. Doeddwn i erioed wedi medru mynegi fy hun yn glir. Ymbalfalwn am eiriau, ond ni allwn greu brawddeg mor hyfryd â'r teimlad o ddal carreg berffaith gron o'r afon yn fy llaw.

Ia wir, merch obeithiol, blentynnaidd oedd yr Eirlys Williams a agorodd giât y mynydd i Elgan yn ei Land Rover newydd. Aeth i ffwrdd ar wib, a syllais ar y defaid yn dianc oddi wrtho yn gymylau bach gwyn; doedden nhw na finnau erioed wedi gweld y fath beth. Roedd twrw'r peiriant yn fyddarol, a dechreuais biffian chwerthin gan fod yr olygfa yn drawiadol o ryfedd.

Dyna oedd y diwrnod, yr union ddiwrnod, pan ddaeth y byd mawr diarth i ymweld â Hafod yr Haul am y tro cyntaf; ac eto, ni chymerodd y tyddyn fawr o sylw. Wedi i'r ddau ohonom adael, fe aeth y lle yn ôl i'w drwmgwsg arferol ym mhlygiadau'r tir. Ynys yng nghanol môr mawr amser oedd Hafod yr Haul y diwrnod hwnnw, ac roeddem ninnau fel Robinson Crusoe a Friday, ymhell i ffwrdd o'r byd go iawn. Gwyddwn fod Elgan yn mynd i ofyn rhywbeth pwysig iawn. Roeddwn ar bigau'r drain, teimlwn wefr drydanol yn rhedeg drwy fy nghorff.

Cerddais drwy'r grug, yn gwrando ar Elgan a Jess yn gyrru'r defaid yn ôl i'w cynefin. Erbyn i mi gyrraedd Hafod yr Haul roedd Elgan wedi mynd ymlaen at glawdd terfyn y tyddyn; smotyn ar y gorwel oedd y Land Rover gwyrdd, a doedd dim modd clywed ei dwrw. Roedd hi'n ddiwrnod braf, ac es i lawr i'r pwll yn yr afonig i drochi fy nhraed. Roedd y dŵr yn dywyll ac yn oer, ond tynnais fy sgidiau a rhoi fy modiau yn y llif; yna gorweddais ar y ffeg, ar ôl gwneud nyth yn y tyfiant melynwyn, pigog. Fe'm swynwyd gan y gwenyn a'r pryfed yn mwmian yn y grug; tynnais fy nhraed o'r dŵr a bu bron i mi hepian. Anghofiais am Elgan a'r defaid wrth i mi agor drws yn fy nychymyg, ac es am dro drwy fy chwantau a'm blysiau morwynol. Gwelwn fy ngobeithion yn dawnsio ar y dŵr fel gwreichion haul; disgleirient fel gemau yn y golau nwyfus. Cyfrais nhw, rhedais nhw drwy fy mysedd. Yna, codais fy mhais er mwyn teimlo'r gwres ar fy nghoesau. Trois ar fy mol ac edrych ar y byd bach prysur islaw, â thrychfilod yn gwibio o un blodyn i'r llall, a morgrug yn llafurio i foddhau'r frenhines gudd. Ai dyna yw cariad – brenhines ddirgel, danddaearol, yn rheoli llu o galonnau heb yn wybod iddynt? Rhois fy mhen ar fy mreichiau, a gwyliais eu byd bach. Mae'n rhaid 'mod i wedi cysgu am dipyn, oherwydd y peth nesa rwy'n gofio yw teimlo'r haul yn diflannu y tu ôl i gwmwl a'r oerni sydyn wedi fy neffro. Ond nid cwmwl achosodd y düwch – na, Elgan oedd yn sefyll drosta i. Trois ar fy ochr a dilyn ei ffurf, o'r sgidiau hoelion mawr ar ei draed, i fyny ar hyd ei drowsus, heibio'i siaced waith hyd at y cap pig newydd sbon ar ei ben. Teimlais wefr o ofn yn codi'n groen gŵydd ar fy nghnawd. Gwyddwn, rhywsut, fod cysgod Elgan yn argoeli rhywbeth...

'Wel Eirlys, rydw i wedi gweld mwy ohonot ti heddiw na welais i 'riocd o'r blaen.' Cofiais yn sydyn mod i wedi codi fy mhais hyd at dop fy nghoesau. Gwridais cyn tynnu fy mhais dros fy ngliniau.

'A pheth arall Miss Williams, rydw i wedi gweld rhan ohonot ti na welaist ti dy hun. *Erioed*.'

Roedd o'n dal i sefyll uwch fy mhen, yn edrych i lawr arna i efo'r hen lygad chwith 'na bron 'di cau. Teimlwn fel dafad wedi'i rhwymo'n barod i'w chneifio.

'Be ddigwyddodd i'r Land Rover?'

'Wedi rhedeg allan o betrol, dwi'n meddwl.'

Chwarddais, a throis drosodd ar fy nghefn eto.

'Fuasai'r ferlen ddu byth wedi rhedeg allan o betrol.'

Ond doedd o ddim yn barod i ymuno yn yr hwyl y diwrnod hwnnw. Eisteddodd wrth fy ochr, tynnodd ei sgidiau a'i sanau, a phlymio'i draed i mewn i'r pwll.

'Rargian, mae'r dŵr 'ma'n ddiawledig o oer.'

Syllais ar ei draed yn y dŵr, yn nofio fel ysbrydion bach gwyn; doeddwn i ddim wedi'u gweld nhw ers pan oedd o'n ifanc. Er syndod i mi, roeddynt yn eitha glân a di-nam, wrth ystyried mai traed ffarmwr oeddynt.

'Del iawn wir,' meddwn innau. 'Ond bendith rheswm, dyro nhw'n ôl yn dy sgidiau, cyn i ti ladd y pysgod.'

Tynnodd ei draed o'r dŵr, cyn gorwedd ar ei gefn fel finnau, i adael i'w fodiau sychu. Sylwais ei fod o wedi cael hyd i welltyn i'w gnoi, yna daeth pwl o ddistawrwydd dros y lle. Teimlwn yn agos ato, fel y byddem yn yr hen ddyddiau ar lan yr afon gyda Mot yn ein gwarchod: unwaith eto gwelwn las y dorlan yn gwibio heibio'r ddau ohonom, teimlwn bysgod bach yn cosi ein traed. Clywn ei chwerthin plentynnaidd eto; clywn y dŵr yn crychferwi ac yn sugno bonion y coed cyll; clywn Mot yn anadlu'n fyr ac yn gyflym, a'r ehedydd uwchben, yn canu'r gwanwyn i fodolaeth.

Yna des yn ôl i'r presennol, a doedd o ddim cystal â'r gorffennol.

Trodd Elgan tuag ataf a dechrau goglais fy mraich gyda'r gwelltyn. Tynnodd y pen manflewog dros fy nghroen yn araf, araf – o f'ysgwydd i lawr at fy mhenelin, ac yn ôl eto.

Roedd yn cosi, dywedais wrtho am beidio.

Rhwng mwmian y gwenyn a pheroslef bêr yr afonig, clywais ei lais yn nofio'n araf tuag ataf.

'Dwyt ti ddim isio clywed pa ran ohonot ti welais i gynt, rhan na welaist ti dy hun erioed?'

'Elgan, am be rwyt ti'n rwdlan rŵan? Os wyt ti am fod yn ddigywilydd, dydw i ddim isio clywed.'

Symudodd y glaswelltyn o 'mraich i fy nhrwyn.

'Elgan!'

Yn araf, symudodd y gwelltyn dros fy ngwefusau, fy ngên, ac yna i lawr fy ngwddw. Gwnes ymgais i gipio'r blewyn, ond methais.

Clywais ei lais unwaith eto, yn fwy breuddwydiol y tro hwn.

'Dy bengliniau, am hynny ron i'n sôn. Dwyt ti 'rioed wedi gweld y ddau bant bach hyfryd y tu ôl i dy bengliniau, nag wyt? Ond rydw i, ha ha!'

Erbyn hyn roedd y gwelltyn wedi cyrraedd y cnawd uwchben fy mlows, union uwchben fy mronnau. Teimlwn y blewiach yn cosi'r rhigol fach ym mhen uchaf fy mronnau.

'Elgan Evans! Paid – rŵan!'

Bachais y gwelltyn, a lluchiais ef i'r afon.

'Be sy'n bod arnat ti dywed, rwyt ti'n waeth na hogia'r pentre!'

Roedd rheini byth a beunydd yn trio fy hudo i'r coed – pob un ohonynt mor gastiog â chi lladd defaid.

Roeddwn i wedi gwylltio erbyn hyn, gan 'mod i'n disgwyl gwell triniaeth gan Elgan. Trois yn ôl ar fy mol a bwrw fy mhen o dan gysgod fy mreichiau. Ond doedd y diawl drwg ddim wedi gorffen eto. Teimlais ei anadl yn cynhesu fy nghlust. Roedd o wedi closio reit ata i ac yna rhoddodd ei fraich dros f'ysgwydd. Dechreuais grynu eto; roedd dynion yn medru bod mor gyfrwys, ac roeddwn innau mor wan. Oedd o'n mynd i...a be ddymunwn i, beth bynnag?

Sibrydodd yn felfedaidd yn fy nghlust:

'Dwyt ti ddim yn cofio 'mod i isio gofyn rhywbeth pwysig?'

Y ffaith oedd 'mod i wedi anghofio'n llwyr.

'Oes gen ti syniad be ydw i'n mynd i ofyn i ti?'

Daliais i orwedd yn llonydd. Closiodd yntau nes fod ei wefusau bron â chyffwrdd fy nghlust. Roedd ei anadl yn ymledu reit drwof i erbyn hyn, fel awel gynnes ym Mehefin; teimlwn fy hun yn meddalu fel menyn yn yr haul.

'Mae rhywun wedi mopio efo chdi, Eirlys Williams. Wyddost ti hynny?'

Poethodd fy mhen, sychodd fy ngheg. Agorais fy llygaid. Edrychais ar forgrugyn bach du yn cerdded ar hyd y ddaear o 'mlaen, mor ddiarwybod ohonof i ag oeddwn innau o 'stumiau Elgan.

'Na wn i, Elgan.'

Teimlwn ei sarff yn dringo fy nghoeden…

'Oes gen ti syniad pwy 'di'r dyn ma? Fedra i ddweud un peth wrthot ti Eirlys, mae o'n dy garu di. Mae o'n meddwl amdanat ti drwy'r dydd, yn edrych arnat ti fel llo pan fyddi di'n eistedd o'i flaen yn y Gymdeithas…mae o'n gofyn sut wyt ti bob tro dwi'n ei gyfarfod. Eirlys, mae o wedi gwirioni arnat ti.'

Aeth y byd i fwmian fel gwenynen enfawr yn fy mhen.

Doeddwn i ddim isio gwybod pwy oedd o, doeddwn i ddim isio clywed ei enw fo. Ond doedd dim trugaredd i'w gael…

'Huw,' meddai Elgan yn fy nghlust. 'Huw ydi o. Mae o wedi rhoi ei fryd ar dy briodi di. Be ti'n ddeud i hyn'na?'

Fedrwn i ddim meddwl pwy oedd Huw. Huw? Pwy oedd Huw? Aeth fy ngwefusau'n ddideimlad ac aeth y mwmian yn fy mhen yn fyddarol. Codais ar fy eistedd a throis tuag ato. Mae'n rhaid ei fod o wedi gweld y boen ar fy wyneb, oherwydd fe roddodd ei law ar fy mraich ac edrych i lawr ar y ddaear, fel pe bai o'n llawn tosturi.

'Wel, pa Huw rwyt ti'n sôn amdano?'

'Huw Frondeg, pwy arall? Mae'n ddrwg gen i Eirlys, doeddwn i ddim yn disgwyl i hyn fod gymaint o sioc i ti. Roeddwn i'n meddwl dy fod ti'n gwybod.'

'Be ti'n feddwl, *roeddwn i'n meddwl dy fod ti'n gwybod*. Sut allwn i wybod? Wyt ti'n meddwl 'mod i'n medru darllen meddyliau pobl?'

'Eirlys, mae pawb yn y cwm yn gwybod, hyd yn oed Meri

Maes y Llan. Wyt ti'n ddall? Mae'r hogyn druan wedi gwirioni arnat ti – mae hyd yn oed Jess wedi gweld hynny.'

Stopiodd y mwmian ofnadwy yn fy mhen. Gorweddais ar fy hyd unwaith eto a throis i ffwrdd. Tynnais fy nghorff yn belen fach blentynnaidd, gyda 'mreichiau yn dynn o amgylch fy mhengliniau.

Rhoddodd ei law yn ôl ar fy ysgwydd, ond ysgydwais hi i ffwrdd.

Distawrwydd, heblaw am ambell i fref. Gylfinir yn tristáu'r gorwel. Dim ond sisial yr afon, a düwch dyfnderoedd y pwll dŵr.

'Be wna i rŵan ynte? Roeddwn i wedi addo iddo fo…' meddai Elgan yn ddistaw.

Teimlais y dagrau'n dechrau cronni y tu ôl i'm hamrannau. Gwyddwn fod rhaid i mi ddweud rhywbeth.

'Dos i nôl petrol, dw i isio bod ar fy mhen fy hun am dipyn. Gad lonydd i fi rŵan, mae gen i isio amser i feddwl.'

Roedd synnwyr cyffredin wedi dod i f'achub.

Ddywedodd o ddim byd. Clywais ei sgidiau yn symud drwy'r ffeg, yna fe symudodd y byd yn ôl ar ei echel. Arhosais am dipyn, cyn gadael i'r argae fylchu. Doeddwn i ddim yn gwybod, cyn hynny, fod corff merch yn medru dal cymaint o ddŵr hallt.

***

Caeaf fy llygaid, af yn ôl i'r gorffennol eto.

Daw rhywun tuag ataf, yn cerdded drwy fwrllwch y blynyddoedd. Dwi'n ei hadnabod, ond mae hi wedi newid yn llwyr. Mae hi'n olygus ac yn chwim ei throed. Daw tuag ataf ar frys, yn llawn egni – yn wir, mae hi'n fyrbwyll.

Teimlaf wres ei bodolaeth, ac fe'm trewir gan ei nwyd a'i

hangerdd. Mae hi'n fywiog, yn rymus, a heddiw mae hi'n fflamgoch.

Ai hon yw'r ferch a fu'n wylo wrth y pwll tywyll yn Hafod yr Haul? Ia, gwelaf ôl dagrau ar ei bochau. Mae hi'n edrych mor ifanc, mor hydwyll... mor *naïf.*

Dim ond y plisgyn sydd ar ôl bellach; gwraig oedrannus yn eistedd yn ei lloches yn y fynwent. Heddiw, rwy'n ôl yn fy ngwâl. Mae'n ddiwrnod gwyntog, â phyliau o law mân cynnes. Dwi'n hoff o ddyddiau fel hyn, yn mwynhau rhu sydyn y gwynt yn y coed a gweld glaswellt hir y fynwent yn tonni ac yn dawnsio yn y miri. Mae'r byd yn teimlo 'mhell i ffwrdd; dim ond y fi sydd ar ôl, ar ynys fach o dir. Tir y meirw. Ond mae'n well gen i eu cwmni nhw heddiw. Dydyn nhw ddim yn mwydro, dydyn nhw ddim yn gofyn i fi ganlyn hogyn na faliwn i ddim amdano.

Diwrnod breuddwydiol mewn cwfl o law mân cynnes. Fydda i 'mond yn gwrando ar fiwsig ar adegau fel hyn – pan fo'r gwynt yn treisio'r coedydd, pan fo gwlybaniaeth cynnes y smwclaw yn anwesu fy wyneb. Dydi Anwen ddim yn deall, wrth gwrs. Dydi hi ddim yn deall pam y bydda i'n mynd i'r parlwr ar fy mhen fy hun i chwarae miwsig ac edrych drwy'r ffenest ar y gwynt a'r glaw, y ddawns ddistaw sy'n codi hiraeth ingol yn fy mron.

Mae Jan wedi mynd i Awstralia i ymweld â'i merch am bedwar mis. Dwi'n hoff o Jan, ond rwy'n hoffi'r lloches fwy hebddi yno. Caf y lle i fi fy hun eto. Caf eistedd yng nghysgod yr ywen fawr yn edrych ar y gwynt a'r glaw yn dileu fy mywyd oddi ar hanes y byd – fel y byddai Jones Sgŵl yn rhoi sweip i'r bwrdd du efo'i ddwster. *Chwiw chwiw*, a dyna wers y dydd wedi disgyn i'r llawr yn fân lwch gwyn.

Unwaith eto, rwy'n edrych ar y ferch ifanc o 'mlaen.

Mae hi wedi colli'i gwynt, mae 'na olwg wyllt yn ei llygaid. Dwi'n gofyn iddi:

'Pam, Eirlys? Pam wnest ti droi ar dy gefn fel ci bach yn ymofyn anwes, pam wnest ti gytuno i wneud be wnest ti? Oherwydd mai morwyn oeddet ti yn dy fywyd personol yn ogystal ag yn dy waith, yndê? Morwyn oeddet ti i bawb, o'r crud i'r bedd. Roeddet ti wedi cael dy ddysgu o'r dechrau i fod yn ufudd; i wneud yn union be ddywedai'r dynion wrthyt am wneud, fel y gwnâi Mot a Fflei a Jess. Ast fach ffyddlon oeddet ti Eirlys, yn gwneud be fynnid pan glywet ti'r chwiban. Roeddet ti'n union fel Jess, yn eistedd nesa at Elgan yn y Land Rover newydd, yn closio ato fo ac yn rhoi dy ben ar ei ysgwydd, yn ymofyn mwythau, yn gwneud be fynnai i ti wneud. Ia, Eirlys, dyna pam wnest ti gytuno i ganlyn Huw Frondeg – i blesio Elgan. Ond dylet ti fod wedi cyfaddef. Dylet ti fod wedi dweud wrth Elgan dy fod ti'n ei garu.'

***

Breuddwyd effro – dyna'r oll yw fy mywyd erbyn hyn. Rwy'n byw yn y gorffennol, yn ail-greu fy mywyd, yn edrych ar bob digwyddiad yn yr un ffordd ag y byddai Nain yn edrych ar hen luniau teuluol. Deuai â hen focs siocled Dolig o'r cwpwrdd mawr ac âi drwy bob llun, gan enwi'r hen bobl ac adrodd dipyn o'u hanes. O na fyddai hi wedi rhoi eu henwau ar gefn y lluniau! Bellach does neb yn gwybod pwy oedden nhw.

Rwy'n consurio'r gorffennol yn ôl i fodolaeth. Daw merch tuag ataf ac eistedd ar y fainc wrth f'ochr. Mae hi'n edrych yn drawiadol iawn – mae'r glaw mân cynnes wedi creu cylch o oleuni ar ymylon ei gwallt. Mae hi'n edrych fel angel.

Daw robin goch i ymuno â ni. Saif ar y bedd agosa, yn symud ei ben o'r naill ochr i'r llall.

'Sori boi bach, does gen i ddim byd i ti heddiw,' medd Eirlys y forwyn. Yna mae hi'n mwmian: 'Robin goch ar ben y rhiniog...'

Fi yw'r ferch hon – yn ifanc. Gwelaf fod ei dannedd yn sgleinio'n wyn a'i llygaid yn glir ac yn ddeallus. Mae ganddi wên fach gynnes, swil. Tybed a yw hi'n dal i gredu mai ysbryd rhywun yw'r robin – dyna fyddai hi'n ei goelio ers talwm.

Yna awn ati i gofio'r hen ddyddiau yn Nolfrwynog.

Wyt ti'n cofio'r cap pig glas na ddaru newid ei wedd o mor drylwyr?

Ydw wrth gwrs. A'r dyn 'na ddaeth i drio gwerthu eli gwartheg, hwnnw roddodd y cap iddo. Cythraul slei efo llond ceg o ddannedd gosod. Mi drïodd fy nal i yn y *dairy* fwy nag unwaith...ych a fi. Byddwn yn edrych ymlaen at weld y cap 'na'n dod dros y gorwel. A pheth arall, roedd y tymhorau mor wahanol bryd hynny, dwyt ti ddim yn meddwl? Roedd yr hafau yn sych ac yn gynnes, yn mynd ymlaen am byth rhywsut.

Paid! Rwyt ti'n codi hiraeth arna i...aroglau'r gwair yn gorwedd ar y caeau, cwningod yn dianc rhag llwybr y beindar; te yn y grug, y gog yn canu ar lethrau'r ffriddoedd...

Ond wyddost ti be, Eirlys, roeddet ti'n anhapus iawn mewn gwirionedd, ond oeddet ti? Ac roedd Elgan yn isel ac yn bryderus o dan y cap gwirion 'na, fe wyddai pawb hynny. Wyt ti'n cofio'r gaeaf drwg hwnnw pan gollwyd nifer o ŵyn bach? Erbyn y diwedd roedd Elgan wedi newid, roedd o'n hŷn rhywsut. Doedd o ddim yn chwerthin cymaint, doedd o ddim yn aros i falu awyr efo pawb a ddôi i'w gyfarfod. Wyt ti'n cofio hynny?

Ydw wrth gwrs. Ond rwy'n gwybod pam – roedd o'n disgwyl cael ateb. *Roedd o wedi gofyn i mi ganlyn Huw Frondeg ac mi roeddwn innau wedi oedi ac oedi...*

Roedd Gwyn wedi sylwi hefyd – wyt ti'n cofio cael gair efo fo yn y gadlas? Roedd o'n poeni cymaint â neb. Doedd o ddim yn deall be oedd yn bod, roedd o'n pryderu am ei frawd bach. Buaswn i wedi medru dweud wrtho fo be oedd yn bod. Roedd Elgan yn poeni ynglŷn â'r gair mwyaf yn y geiriadur – cariad. Doedd o ddim yn ifanc bellach, roedd o'n gweld dynion eraill yn caru ac yn priodi ond doedd hynny ddim wedi digwydd iddo fo. Er bod llwyddiant a golud yn bwysig iddo fo, roedd Elgan isio rhywbeth arall. Roedd o'n coelio yn y gair rhamant, yn edrych am gariad pur, y math o gariad sydd i'w gael mewn llyfrau. Roedd o'n gobeithio fod mwy i fywyd na rhedeg ar ôl defaid ar ddiwrnod gwlyb yn yr hydref efo glaw oer yn gwlychu'i war, neu reslo efo'r bustych er mwyn rhoi dos rhag y llyngyr iddyn nhw. Oedd, roedd Elgan yn gobeithio am gariad disglair, perffaith, unigryw.

Dyna pam roeddet ti'n ei garu, yndê, Eirlys bach? Roedd yr un freuddwyd hurt yn dy gadw dithau'n effro hefyd, yn doedd?

Oedd, rwyt ti'n iawn. Ond roedd Elgan yn gofyn gormod wsti, doedd yr un ferch feidrol am wneud y tro iddo.

Y peth ydi Eirlys bach, roedd y cloc yn tician. Tra bod Gwyn ac Elgan yn oedi ac yn hel eu traed, roedd bysedd y cloc mawr yn y parlwr yn troi rownd a rownd, yn gynt ac yn gynt bob dydd. Pe na baent yn gwneud rhywbeth ar fyrder, byddai Dolfrwynog yn cael ei ffermio gan rywun diarth, a byddai hynny'n annioddefol. Roedd yr hen deulu wedi chwysu gwaed i gyflawni gwyrth y caeau a'r cloddiau; i fagu plant ac i gadw aelwyd. Ond be oedd o'i le ar y brodyr, Eirlys? Roedd 'na ddigon o ferched del yn y fro. Fysa tithau wedi siwtio'n iawn, wsti. Roeddet ti ac Elgan yn gwneud yn iawn efo'ch gilydd, roeddech chi'n cael lot o hwyl. Ac fel roedd o'n cyfaddef ei hun, roedd 'na ddigon o waith ynot ti. Fysa ti wedi gwneud gwraig fferm dda iawn, a mam arddderchog i'w blant o. Be oedd yn bod ar y lembo, dywed? Rhyw hen snob oedd o yn y bôn, 'de?

Hwyrach wir. Ond wsti be? Mae'n cymryd mwy na dŵr a blawd a siwgr i wneud cacen. Mae eisiau rhywbeth blasus hefyd, fel tipyn o jam yn y canol...a'r rhywbeth sbesial yng ngolwg Elgan oedd cyffro.

Dyna oedd yn absennol o'r berthynas rhyngoch chi, Eirlys – roedd y ddau ohonoch chi wedi tyfu i fyny efo'ch gilydd bron iawn, roeddech fel brawd a chwaer. Roeddet ti fel un o'r cadeiriau yn y gegin, doedd Elgan ddim yn dy weld ti. Na, roedd Elgan isio cyffro! Mae'n ddigon hawdd ennyn chwant a serch, ond i ennyn cariad mae isio cynnwrf yn y gwaed.

Daliwn yn yr un cywair am sbelan, yn canu'r un hen dôn gron fel dwy gath yn swnian dan olau'r lleuad. Rydan ni'n cysuro'n gilydd, yn trio deall y gorffennol. Yna cwyd Eirlys y forwyn fach ac i ffwrdd â hi ar frys. Mae'n rhaid iddi fwydo'r ŵyn llywaeth, a pharatoi at y godro...

Fe ŵyr y ddwy ohonom na wnaiff ein trafodaeth ryw lawer o wahaniaeth. Hwyrach fod y boen yn fy mron wedi'i lleddfu rhywfaint, ond does dim sicrwydd ai poen go iawn ydyw ynte poen yn fy enaid. Bydd y sgan yn dangos, gobeithio. Hwyrach y daw'r doctor ata i ar derfyn dydd ac mi ddywedith rywbeth fel: 'Poen o'r gorffennol yw hwn, Miss Williams, does dim rhaid i chi boeni bellach. Mi aiff yn ara deg, fel lliw paent oddi ar hen ddrws. Sefwch yn y glaw hynny fedrwch chi, wnaiff y dŵr olchi'r cyfan i ffwrdd yn y diwedd.'

Mae gen i weddill f'oes i sefyll yn y glaw fel polyn, ac i feddwl am ddyfodiad y ferch yn y wisg werdd.

Pennod 4

Ac yna daeth newid mawr i Gwm y Blodau. Pan gyrhaeddodd y gwanwyn o'r diwedd, ar ôl gaeaf hir a chaled, dygwyd ymwelydd annisgwyl i'r cwm ar awelon mwyn y tymor newydd. Dyna pryd y gwelsom y ferch yn y wisg werdd am y tro cyntaf. Ac er na wyddem hynny ar y pryd, byddai ei dyfodiad sydyn, dirybudd, yn cael effaith ddirfawr ar bawb – ac yn arbennig felly ar deulu Dolfrwynog.

Erbyn hynny roedd y dirywiad yng nghyflwr Elgan wedi dod i sylw pawb. Yn ôl Siani High Heels, roedd rhyw fath o felltith wedi disgyn arno, ac ni pharai ef tan ddiwedd y flwyddyn. Lol botes maip oedd hynny wrth gwrs, ond roedd llawer yn ei choelio. Ac i wneud pethau'n waeth, teimlwn fy mod innau'n rhannol gyfrifol. Brysiai ambell i un heibio imi pan fyddem yn cyfarfod ar y ffyrdd bychain neu yn y pentre, fel pe bawn i'n wrach. Roedd Siani wedi hau celwyddau amdanaf innau hefyd, roedd hynny'n amlwg.

Doedd Elgan ei hun o fawr o gymorth. Aeth yn flêr ei olwg, gan fynd am ddyddiau heb siafio. Ac yna daeth sgandal y gŵys gam.

Yn y dyddiau hynny byddai pawb yn hau yn y gwanwyn, ac Elgan fyddai'n troi ac yn trin y tir yn Nolfrwynog. Dyna oedd y drefn, ac nid oedd neb yn disgwyl dim amgenach. Ymhyfrydai yn y broses, o'r dechrau i'r diwedd; mwynheai iro a pharatoi'r aradr ddwy gŵys, rhoi sglein ar y swch, ac yn fwy na dim mwynheai aroglau'r tir aredig. Wrth i'r ddaear gynhesu, byddai'r pridd yn sychu, yna'n breuo a briwsioni. Pan awn innau i'r cae â llond hances o ginio iddo fo, rhoddai ei law i mewn i'r gŵys a bachai lond dyrnaid o bridd. Gadawai iddo redeg drwy ei fysedd a dywedai rhywbeth fel: 'Hogla hwnna Eirlys, mae o'n well na'r *scent* dryta fedrith neb brynu yn Llundain.' Deuai gwên fawr i'w wyneb ac yna eisteddai yng nghysgod y clawdd yn mwynhau ei frechdan a'i baned. Mwynhawn innau ei wylio'n symud i fyny ac i lawr y cae a gosgordd swnllyd y gwylanod penddu a sigldin y gŵys.

Ond y flwyddyn honno, gwyddwn fod rhywbeth o'i le. Roedd llafn yr aradr yn rhydlyd, ac roedd y gŵys gynta'n flêr. Wedi'r cwbl, roedd Elgan yn enwog am ei droi, ac yn arbennig am ei gŵys gyntaf. Ar ôl camu ar hyd y tir i'w fesur byddai'n gosod polion bob pen i'r cae ac âi ati fel capten llong i sicrhau fod y gŵys gyntaf cyn sythed â saeth. Fel y gŵyr pawb, os yw'r gyntaf yn syth mae'r gweddill yn dilyn, ac roedd safonau Elgan yn uwch na neb arall yn y sir; yn wir, roedd ei enw da fel ffarmwr yn rhannol ddibynnu ar ei droi. Roedd patrwm perffaith y gwaith gorffenedig fel clawr llyfr, dangosai i'r darllenydd pa fath o stori oedd rhwng y cloriau. Ac roedd troi Elgan fel clawr Beibl, fe wyddai pawb fod y taflenni taclus oddi mewn – pob un ohonynt fel cwys ar y cae – yn batrwm bywyd. Oedd, roedd cae wedi'i droi gan Elgan bron yn gysegredig. Ond nid y flwyddyn honno.

'Roedd hi'n gam fel piso mochyn,' meddai Rhys Fron Ucha wrth bawb yn y fro. Deuai ffermwyr y cwm yno i weld y gŵys; gwelid nhw'n malwenna ar hyd y ffordd gyferbyn â Dolfrwynog. Disgynnent o'u merlod a syllent yn anghrediniol ar y gŵys gam.

Syllais innau, fel pawb arall, a gwyddwn fod Elgan yn wael.

Roedd ei gŵys yn waeth na phechod, roedd fel rhegi o flaen Nain. Cochais drosto, pitïwn ef o waelod calon. Os yw aredig gwael yn warth, mae gwybod fod yr holl fro yn trafod y peth yn llawer iawn gwaeth – ond roedd Elgan ymhell i ffwrdd yn ei fyd bach ei hyn ac ni ddangosai ei fod yn ymwybodol o'r sgandal. Fel arfer fysa pawb wedi bod wrthi'n ei herian am wythnosau, ond y tro hwn ni ddywedodd neb air.

Yn wir, ni soniwyd dim am y peth tan heddiw hyd y gwn i. Roedd yn rhyddhad mawr i ni oll pan orffennodd Elgan efo'r llyfnu a'r hau – pan ddileuwyd y gŵys gam o olwg y fro. Cawsom gyfnod sych iawn, diolch i'r drefn ac roedd y gwaith wedi'i gwblhau mewn pythefnos. Efallai fod ei enw da wedi diodde rhywfaint, ond am fod bron pawb yn holl iawn ohono y gred oedd fod 'rhywbeth ar ei feddwl o mae'n siŵr…hwyrach fod y gaeaf ofnadwy 'na'n dal i bwyso arno.'

Ac yna cyrhaeddodd y ferch. Distawodd y sôn am y gŵys gam. Daeth rhywbeth pwysicach byth i gynhyrfu'r gymdogaeth.

***

Byddai'n arferiad gan Elgan i fynd lawr i'r fynwent yn y pentre ar ôl iddo orffen trin y tir a hau'r ceirch bob blwyddyn. Gwnâi hynny ar yr un diwrnod pob blwyddyn, gyda llwch y caeau'n dal ar ei groen; yn wir, edrychai fel teithiwr yn anialwch yr Aifft.

Dywedais mai arferiad oedd hyn – er efallai mai *defod* yw'r gair gorau i ddisgrifio'r hyn wnâi Elgan i ddathlu diwedd y tymor plannu a hau.

Gwelaf ef yn awr, yn sefyll yn nrws y gegin efo haen ysgafn o lwch y ddaear yn lliwio'i groen. Ac oherwydd y lliw gwahanol ar ei wyneb, disgleiriai ei ddannedd a'i lygaid yn wynnach nag arfer; roedd ei wefusau'n gochach a'i wallt yn wylltach. Edrychai'n drawiadol iawn a fysa unrhyw ferch wedi oedi i edrych arno.

'Oes gen ti flodau'n barod i mi, Eirlys?'

Roedd hyn yn rhan o'r ddefod hefyd. Awn innau i waelod yr ardd cyn iddo gyrraedd y tŷ a dewiswn y Cennin Pedr gorau, llond braich ohonynt, yn barod iddo mewn piser. Yna âi yn syth i'r eglwys i ddweud wrth ei dad Caradog fod y tatws a'r grawn yn y ddaear. Efallai mai dathliad ydoedd, hen arferiad teuluol gyda'i wreiddiau'n mynd yn ddwfn i'r tir yn Nolfrwynog. Arferai'r hen Mr Evans wneud yr un peth, ac mae'n debyg fod ei dad a'i daid yntau wedi dilyn y traddodiad hefyd.

Roedd y gwanwyn wedi gwreiddio erbyn hynny – canai'r adar yn y brigau a gwelid cant a mil o flodau mân yn addurno'r cloddiau – dant y llew, llygad yr haul...roedd glaswellt y fynwent wedi derbyn ei doriad cyntaf ac fe aroglai'n fwyn a melys. Yma a thraw, ymysg y coed yw, gwelid ambell deulu bach o eirlysiau yn sefyll fel pererinion yn edrych am arwyddion ar y ffordd i Wlad yr Addewid.

Ia, traddodiad teuluol oedd yn cymell pob cenhedlaeth newydd i fynd ar y daith i'r fynwent bob blwyddyn. Ond i Elgan roedd 'na elfen wahanol i'r seremoni. Y gwir yw fod Elgan dal i ofni ei dad, er ei fod bellach yn gorwedd yn y fynwent. Dywedai llawer un y gallai'r hen Caradog Evans fod yn finiog iawn ac yn llym ei dafod. Fyddai dim byd yn ei fodloni rhywsut, ac o ganlyniad cedwid yr holl deulu ar flaenau eu traed. Roedd Elgan yn dal yn bryderus pan âi i mewn i'r fynwent, fel pe bai'n disgwyl llais yr hen ddyn yn taranu o'r nefoedd:

'Roedd y gŵys gynta na'n uffernol o gam, 'machgen i, paid byth â gwneud hynna eto neu mi fydd enw'r teulu wedi ei chwalu'n racs.'

Penliniai Elgan wrth fedd ei dad wrth iddo adrodd y newyddion. Byddai'r hen ddyn isio gwybod popeth, fe wyddai hynny. Clywsai Elgan lais ei dad yn swnian yn ei ben: 'Wnest di hau efo'r ffidil ynte efo un o'r peiriannau newydd na? Rhaid i ni weddïo am law, be sa'n digwydd pe bai hi'n sych am bythefnos arall? Ocdd yr had yn lân, wyt ti wedi gosod y bwgan brain lle ddywedais i? A pheth arall, 'ngwas i, mae hi'n hen bryd i chdi ffeindio gwraig. Be sy arnat ti, dywed?'

Oedd, roedd Elgan yn ofni'r hen ddyn, y bwgan a waeddai o'i fedd oer.

Ar ôl cael gair efo'i dad, âi Elgan at fedd ei fam i roi'r blodau yn ei llestr. Gwnâi hyn i'w phlesio, gan fod hithau'n medru bod yn filain iawn os teimlai fod rhywun wedi gwneud cam â hi.

Claddwyd y tad a'r fam gyferhyn â'i gilydd ond ar wahân, a doedd neb yn gwybod pam. Dymuniad olaf y fam, yn ôl Elgan. Allai llawer ddim dirnad y peth, ond dangosai natur y briodas. Dim ond pan fydd rhywun wedi marw y cawn gipolwg ar y gwir. Clywn sibrydion o'r tu hwnt i'r bedd: *Gwranda! Doedden ni ddim yn caru'n gilydd, wsti, tynnwyd ni ar wahân o'r noson gyntaf... dyletswydd yn unig a gadwodd fi yno, ac yna daeth y plant, roeddwn i'n gaeth wedi hynny.*

Roedd eu cyfoedion yn gwybod popeth am y dirgelion hyn wrth gwrs – neu roeddent yn esgus gwybod. Ond cadwent yn ddistaw, gan fod ganddynt hwythau gyfrinachau lu hefyd. Diflannodd sawl cyfrinach i mewn i bridd du'r fynwent oherwydd ofnau'r byw; ac er fod trigolion y fro mor bechadurus ag unrhyw un byw, pechaduriaid mud oedd trigolion Cwm y Blodau.

Fel y gwyddom ni oll bellach, aeth Elgan i'r fynwent ar ei ben ei hun y diwrnod hwnnw, ond daeth oddi yno efo merch yn cerdded wrth ei ochr. Ni welwyd y digwyddiad gan neb, er fod Mrs Gibson, a gadwai'r dafarn gyferbyn efo'i gŵr, wedi gweld Elgan yn cerdded i mewn drwy'r porth efo tusw mawr o flodau yn ei law. Edrychai fel bwgan, meddai hi wrth bawb, a bu bron iddi fynd yno i weld be oedd yn bod arno. Chwarddodd pan ddywedais wrthi am y ddefod, a llwch yr og yn wyn ar ei wep.

Ni welodd neb y ddau'n ymadael â'r fynwent. Mae'n rhaid dibynnu ar dystiolaeth Gwyn, yr unig un a glywodd y stori o geg y ffynnon. Dyn agored, diystryw, ydi Gwyn – gellir credu yr hyn ddywedodd o ynghylch y diwrnod hwnnw heb ofni gael ein twyllo. Ymhen dim, roedd fforwm y llan wrthi'n dyrnu'r newyddion, yn trafod ac yn dadansoddi. Roedd Elgan Evans wedi darganfod merch ifanc brydferth yn y fynwent ac roedd hi wedi mynd yn ôl i'r fferm efo fo – dyna be glywodd Meri Maes y Llan, a dyna hefyd be glywodd y Parchedig John Elias Jones pan gyrhaeddodd Mererid, gwraig y gof – a garai'r gweinidog lawer mwy na'i gŵr – cyn amser brecwast y diwrnod wedyn.

Dyna'r ffeithiau moel, fel y clywais i nhw gan Gwyn.

Erbyn hynny roeddwn yn byw gyda fy chwaer yn y pentre, gan fod y blaenoriaid wedi penderfynu ac wedi dweud wrth Anwen y byddai'n anweddus i mi fyw yn Nolfrwynog bellach. Roedd yr hen bobl wedi mynd ar eu taith olaf erbyn hynny a dim ond y brodyr oedd ar ôl. Buasai tafodau'r llan wedi f'enllibio pe bawn wedi parhau i gysgu yno, felly mynd oddi yno oedd yr unig ddewis i mi. Gan 'mod i wedi ymadael â'r capel, doeddwn i'n malio dim, ond roedd Anwen yn selog iawn yno. Dw i'n meddwl fod hyn wedi gwaethygu'r rhwyg yn ein perthynas.

Pan gyrhaeddais y buarth yn Nolfrwynog y bore wedyn doedd 'na neb i'w weld yn symud. Welais i 'rioed hynny o'r blaen, oherwydd fel arfer roedd y brodyr wrthi'n brysur pan gyrhaeddwn, ac yn barod am eu brecwast – fy ngorchwyl cyntaf pob dydd.

Es i mewn i'r tŷ, a dyna lle'r oedd Gwyn yn eistedd wrth y bwrdd mawr gwyn yn edrych ar ei ddwylo. Holais ef wrth nôl fy ffedog o gefn y drws.

'Gwyn, wyt ti'n iawn, dywed? Lle mae Elgan, oes 'na rhywbeth wedi digwydd?' Er 'mod i'n gwybod yn barod bod rhywbeth o'i le, ffugiais anwybodaeth. Dyna oedd y drefn bryd hynny, roeddem yn hen ffasiwn iawn o'i gymharu â heddiw.

Cododd Gwyn ei ben am ennyd i edrych arna i'n ffwdanu dros y badell ffrio, ac yna dywedodd:

'Gad hwnna Eirlys, tyrd i eistedd lawr. Dwi isio dweud rhywbeth wrthot ti.'

Es at y bwrdd, ond wnes i ddim eistedd; allwn i ddim, rhywsut – morwyn oeddwn i, wedi'r cyfan.

'Be sy'n bod, Gwyn?'

Daliodd i edrych ar ei ddwylo; doedd o ddim wedi gorffen gwisgo'n iawn ac roedd 'na olwg digon syn arno.

'Wnei di'm coelio hyn Eirlys, ond daeth Elgan â merch adre neithiwr ac mae hi'n mynd i fyw yma, wir Dduw i ti.'

Gwyrais i lawr ato, i weld ei wyneb yn well.

'Lle mae hi? Lle mae Elgan?' Edrychais i fyny i gyfeiriad y llofftydd, a gwenodd Gwyn.

'Na, dydyn nhw ddim yn fanna. Dydyn nhw ddim yma, Eirlys. Maen nhw wedi mynd i Hafod yr Haul.'

Ochneidiais yn drwm, a rhoddais fy mhwysau ar un o'r cadeiriau. Roeddwn i wedi mynd i deimlo'n reit simsan.

'Ydi hi'n ddel? Faint ydi'i hoed hi?'

Roeddwn i isio gwybod be fyddai pob merch arall am ei ofyn.

Oedd, roedd hi'n ddel iawn.

'Tua'r un maint â chdi Eirlys, ac yn naturiol iawn ei gwedd. Llygaid prydferth, gwallt brown golau.'

Wyddai o ddim mo'i hoed. Wyddai o ddim hyd yn oed ei henw.

'Ddywedwn i ei bod hi rhwng un ar bymtheg ac ugain, anodd dweud.'

Yna, adroddodd y stori'n gyflawn. Roedd Elgan wedi cyrraedd y fynwent gyda'i flodau yn ei law y noson gynt. Roedd hi'n hwyr, ac roedd y diwrnod eisoes yn pallu. Cerddodd i lawr y prif lwybr, ac aeth at ei rieni. Sgwrsiodd â nhw, taclusodd y ddau fedd â'i ddwylo a rhoddodd flodau ym mhiser ei fam. Hen botyn haearn trwm ydoedd, wedi symud o fedd i fedd ers dros ganrif, gan aros yn y teulu: dangosai dair duwies o'r byd clasurol yn dawnsio ar batrwm o flodau gwyllt.

Gan fod angen dŵr i'w cynnal, cerddodd tua'r cafn mawr. Yna, o gornel ei lygad, gwelodd rith gwyrdd ac roedd y lliw a'r lleoliad yn ddigon i ddenu ei olwg draw i'r cyfeiriad hwnnw. Ymgiliodd y tu ôl i hen ywen fawr ar y llwybr a syllodd drwy'r brigau. Gwelodd bryd hynny fod rhywun yn gorwedd ar un o'r beddi gwastad, nepell o ffenestr ddwyreiniol yr eglwys. Merch, yn ôl pob golwg. Arhosodd Elgan i'w gwylio ac yna aeth ymlaen at y cafn dŵr. Ar ei ffordd yn ôl sylwodd fod y siâp gwyrdd wedi symud; gwelai erbyn hynny mai merch ifanc ydoedd, a'i bod wedi codi ar ei heistedd. Estynnodd ei breichiau tua'r haul yn araf, ac yna taclusodd ei gwallt a phlygodd y ferch ei choesau o dan ei gên, plethodd ei breichiau a gorffwysodd ei phen arnynt. Arhosodd yn hollol lonydd ar ôl hynny, fel petai hi'n disgwyl am rywun.

Syllodd Elgan arni am yn hir drwy'r brigau. Tawodd yr adar – yna gwelodd dylluan yn hedfan i mewn i glochdy'r eglwys.

Safodd yr aderyn yng nghysgod y gloch, yn rhythu ar y meirw oddi tani. Rhythodd ar y ferch, a rhythodd ar Elgan hefyd.

Trodd Elgan ac aeth at fedd ei fam. Dyfriodd y blodau, ac yna aeth â phiser yr eglwys yn ôl i'r cafn. Ar ei ffordd yno penderfynodd y byddai'n cyfarch y ferch. Dywedai un llais yn ei ben wrtho i'w baglu hi oddi yno rhag ofn mai ysbryd oedd hi wedi dringo o'r arallfyd du oddi tan y lechfaen las. Ond roedd rhan arall ohono yn awchu i wybod mwy amdani. Erbyn hynny roedd y dirgelrwydd wedi swyno Elgan. Ai hud a lledrith oedd hyn? Ai negesydd oedd y ferch, wedi'i gyrru o Annwfn gan ei rieni? Cyfareddwyd ef yn llwyr. Aeth tuag ati ar flaenau'i draed, a safodd yn fud o'i blaen.

Syllodd arni – fel y syllai y dylluan arno yntau, fel y syllai'r llygad mawr yn y nef ar bawb yn y byd, a phob blodeuyn bach, a phob gwybedyn hefyd. Rhedodd ei lygad dros bob modfedd ohoni.

Gwisgai wisg werdd, un seml iawn a wnaed o liain. Roedd y wisg hon yn eitha cwta – estynnai tua hanner ffordd i lawr ei chlun. Ar ei thraed gwisgai sandalau lledr ysgafn, lliw aur – doedd dim ohonynt bron, heblaw am y gwadn a'r careiau.

Nid oedd modrwy ar ei bys, nac unrhyw addurn arall heblaw am gadwen arian am ei gwddw – ac roedd honno mor ysgafn, mor gywrain fel nas gwelid hi, bron. Roedd ei chroen yr un lliw â mêl y mynydd. Nid oedd colur o unrhyw fath ar ei hwyneb, a gwelodd Elgan fod ei gwallt yn tonni'n naturiol; yn tonni fel y cwysi a dorrwyd gan ffermwr ifanc, helbulus, rai wythnos ynghynt ar ddolydd Dolfrwynog.

Doedd dim galw am golur – gildio'r lili fase hynny. Na, roedd y ferch ym mlodau ei dyddiau, ac yn naturiol brydferth. Roedd ganddi lygaid fioled claerwych – doedd Elgan erioed wedi gweld eu tebyg. Dichon mai lliw ei llygaid yn anad dim a greai'r argraff fod y ferch hon yn arbennig iawn – yn wahanol i'r gweddill ohonom.

Disgrifiwyd hi gan Gwyn ac Elgan fel rhywun ffres, naturiol, di-lol.

Ond roedd eraill – y rhai na welodd hi tan y noson olaf – yn defnyddio geiriau fel crwydryn, sipsi, tincer, angel, ac yn hwyrach ymlaen, yn y papurau newydd, defnyddiwyd geiriau fel colledig, annaearol a dirgelaidd. Lol oedd hyn wrth gwrs, ond roedd pobl isio stori a myth yn hytrach na'r gwirionedd.

Nid y hi oedd yr unig un i gyrraedd y cwm yn sgil y rhyfel. Roedd eraill wedi glanio yno o'i blaen – fel pe bai cawr wedi sefyll yng ngenau'r dyffryn ac wedi chwythu hadyd dant y llew fel blewiach hwnt ac yma. Y cyntaf i ddod oedd ifaciwî bach, Kenneth Somerville; lladdwyd ei rieni yn y gyflafan ac arhosodd y bachgen efo'i deulu gwyn. Yna daeth nifer o wynebau anghyfarwydd – dynion i gyd, yn symud drwy'r cwm fel ysbrydion. Edrychai pob un fel trempyn, ac mi roedd y rhan fwyaf ohonynt yn fud neu'n orffwyll. Bu'r rhain yn y rhyfel – creaduriaid coll a niweidiwyd am byth gan eu profiadau.

Yna daeth Sebastian, hogyn o deulu da yn Lloegr, i fyw ar ei ben ei hun mewn tyddyn gwag ar odre'r mynydd. Roedd o wedi bod yn fyfyriwr yn un o'r hen brifysgolion, yn ôl pob sôn, ond aeth ei feddwl yn dipiau a daeth i'n mysg fel ffoadur. Crwydrai ar hyd a lled y mynydd yn sgwrsio â'i hun; ychydig iawn a wyddem ni amdano, er dywedid ei fod o'n dysgu Cymraeg a'i fod yn gwybod mwy am Gymru na'r un ohonom ni.

Ond mi roedd y ferch yn y wisg werdd yn hollol wahanol i unrhyw un a ddaethai o'r blaen. Do, fe welodd Elgan yr hyn roedd o *eisiau* ei weld. Ond gwelodd y byd ffugbeth: Olwen yn disgwyl am Culhwch, morwyn o'r henfyd – atodiad bach arall i chwedloniaeth y fro.

Un peth sy'n sicr, dallwyd Elgan ganddi. Ni welsai ef neb tebyg yn ei fywyd, dim hyd yn oed yn Llundain bell. Roedd hi'n unigryw yn ei brofiad ef o fywyd ar y ddaear hon. Syllodd arni, gan deimlo'n llwfr fel llo. Roedd edrych arni'n ddigon i fwrw swyn drosto – ac roedd y sefyllfa annisgwyl yn dwysáu ei deimladau. Roedd y digwyddiad fel un o'r storiâu gwirion 'na am y tylwyth teg a glywsai yn yr ysgol.

Daeth yn ymwybodol o rywbeth arall hefyd. Dieithryn oedd hi. Ni welsai hi erioed o'r blaen, ac yn sicr byddai wedi clywed amdani pe bai wedi dod o unrhyw ran o'r sir. A pheth arall, os oedd camu ar fedd yn atgas, roedd cysgu uwchben y meirw yn wrthun i bawb yn y fro. Anogwyd pob plentyn i barchu'r ymadawedig hyd yn oed os na hawlient hynny pan oeddynt yn fyw. Roedd y ferch, felly, naill ai'n barod i wfftio traddodiad neu'n anghyfarwydd â'u dulliau yn y cwm.

Ta waeth, dywedodd Elgan fod cyfarfod y ferch wedi bod yn brofiad ysgubol iddo: teimlasai rym cryfach na disgyrchiant yn ei ddal mewn magl ddur. Yn wir, teimlai fel pe bai rhywun wedi rhoi cyffur iddo, boddwyd ei synhwyrau gan fôr o deimladau newydd, fel petai'n arnofio yn yr awyr fel pluen.

Yn hwyr neu'n hwyrach, pan agorodd y ferch ei llygaid fioled, dywedodd Elgan ychydig o eiriau wrthi. Teimlodd ei geg yn symud a chlywodd ei hun yn gofyn iddi:

'Ddoi di adre efo fi?'

Clywodd lais pell, yn floesg ac yn lletchwith, yn ymbilio:

'Tyrd yn ôl i Ddolfrwynog efo fi, wnei di?'

Heb wybod ei henw, na dim oll amdani, gofynnodd Elgan iddi fynd adref efo fo – o fewn deg munud i'w gweld hi am y tro cyntaf erioed. Teimlai fel pyped yn meimio, ac mai llais rhywun arall oedd wedi ynganu'r geiriau. Mae'n bosib, efo naw peint ynddo fo, fysa Elgan wedi medru gwneud rhywbeth tebyg yn nawnsfeydd y ffermwyr ifanc – ond fysa'r ferch byth wedi codi ar ei thraed a'i ddilyn fel wnaeth y ferch yn y wisg werdd – heb edrych yn ôl unwaith, a heb ddangos unrhyw arwydd o ofn.

Chwarddodd Gwyn pan ddywedodd y stori wrthyf, ac estynnodd ei ddwylo i'r naill ochr, cystal â dweud: *be wnawn ni efo'r hogyn 'na, dywed!* Prin y coeliai fod hyn oll wedi digwydd, ond cefais yr argraff fod y dyn o 'mlaen i yn edmygu ei frawd bach am fod mor feiddgar ac mor hy.

'Roeddwn i'n meddwl 'mod i'n nabod Elgan, ond mae o wedi fy synnu y tro hwn. A dweud y gwir, rwy'n meddwl ei fod o wedi syfrdanu fo'i hun hefyd,' meddai Gwyn. 'Hwyrach ddaw hi â lwc i ni, hwyrach wneith hi…'

Ond doedd Gwyn ddim yn gwybod be wnâi hi, a doeddwn innau ddim chwaith. Fel Gwyn, teimlwn braidd yn syn fod Elgan wedi bod mor feiddgar, er fod rhan arall ohonof yn tybio 'mod i wedi gweld diwedd cyfnod yn fy mywyd i fy hun. Roedd newid ar y gweill; newid syfrdanol, fel mae'n digwydd.

***

Wrth ddisgwyl yn yr ysbyty ddoe gwelais ddyn roeddwn i'n ei 'nabod. Ond doedd o ddim yn fy 'nabod i, wel, dyna be goeliwn i, beth bynnag. Dyn reit dal, yn gwisgo siwt dywyll a choler a thei. Daeth i eistedd wrth f'ochr yn y *waiting room*, er bod nifer o'r cadeiriau'n wag.

Dyn reit *posh*, roeddwn i'n meddwl, ond pan ddechreuodd siarad daeth stribed o Gymraeg naturiol cefn gwlad o'i enau. Daliais innau i ffugio nad oeddwn i'n ei nabod, ond cyfarchodd fi fel hen ffrind.

'Wel wir, helô eto. Wna i ddim gofyn i chi sut ydych chi

mewn lle fel hyn! Ond doeddwn i ddim yn disgwyl eich gweld chi heddiw yn fan'ma.'

'Ydym ni'n 'nabod ein gilydd?' holais innau, braidd yn ffurfiol.

'Nac ydym, ond rwyn'n eich gweld chi'n eistedd yn y fynwent bob tro rwy'n mynd yno i ymweld â'r wraig.'

'Wrth gwrs, rydw i wedi'ch gweld chi droeon yn rhoi blodau ar ei bedd.'

Gwenodd arna i, oherwydd fe wyddai'n iawn fy mod i wedi'i weld o yno, ond 'mod i'n rhy swil i gyfaddef.

Cydymdeimlais ag ef am golli ei wraig, mewn ffordd syml iawn – dydw i ddim yn hoff o bobl sy'n mynd dros ben llestri efo rhyw hen sioe fawr ffals.

Roedd o wedi'i cholli ers pum mlynedd. Wnes i'm gofyn be oedd yr achos, ond roeddwn i wedi gweld y bedd, gan fy mod i wedi mynd yno i sbecian un bore ar ôl iddo fynd o'na. Roedd ei bedd fel pin mewn papur, efo rhosyn coch mewn fas fach ddel, a bordor taclus o flodau glas reit rownd. Am ryw reswm, cofiwn ei henw – Marged. Roedd o'n parchu ei chof hi, felly. Arwydd da, dybiwn i. Ond fel y dywedodd Anwen, efallai mai ei gydwybod oedd yn ei yrru yno bob wythnos.

Buom yn eistedd efo'n gilydd am sbelan, yn gwylio pobl yn mynd ac yn dod. Yna cofiais nad oeddwn i wedi cyflwyno fy hun.

'Eirlys, Eirlys Williams, rwyf newydd symud i fyw i'r dre.'

Atebodd mewn ffordd ffug ffurfiol, fel petai o'n gwneud hwyl ar fy mhen i.

'Elis,' meddai mewn llais prifathro. 'Dr Elis Henry Morgan *at your service.*'

'Os 'da'ch chi'n ddoctor, be 'da chi'n wneud yn fan'ma?'

'A, cwestiwn da iawn, Miss Williams. Nid doctor fel 'na –

doctor academaidd ydw i, ond mae o'n swnio'n lot mwy crand nag ydi o, wir. Fi oedd prif lyfrgellydd y sir am gyfnod, ond rydw i wedi ymddeol rŵan, diolch i Dduw. Ga i wneud be fynnaf, ac mae hynny'n fendigedig!'

'A dydych chi ddim 'di darllen yr un llyfr ers ymadael, siŵr gen i,' meddwn yn goeglyd.

'O leiaf deg cyfrol pob diwrnod, tri cyn codi yn y bore.'

Gwenais yn wan arno. Os oedd o am i ni gael perthynas gellweirus, gallwn fod mor wirion â neb. Wedi'r cyfan, roeddwn i wedi bod yn ymaflyd efo Elgan ers blynyddoedd maith.

'Ond rydw i wedi sylwi ar rywbeth, Eirlys,' meddai drachefn, gan newid y Miss Williams i f'enw personol.

'O, a be 'di hynny?'

'Rydw i wedi sylwi mai *gwyliwr* ydych chi.'

Roedd o wedi fy llorio i y tro hwn. Gwyliwr? Siŵr Dduw 'mod i'm wyliwr, tydi pawb yn gwylio rhywbeth neu'i gilydd, pob munud effro!

'Dydw i ddim yn eich deall chi,' atebais – gan synhwyro fod y dyn wrth f'ochr wedi treiddio f'enaid. Aeth ias drwyddof.

'Rydych chi'n *wyliwr*, Eirlys. Rwyf innau wedi eich gwylio yn eistedd ar y fainc, yn gwylio'r byd. Dim ond 'chydig iawn o bobl sy'n wylwyr. Rydym fel gwylwyr y glannau, yn swatio yn ein gwâl ac yn syllu ar bawb a phopeth sy'n cyniwair o flaen ein llygaid.'

Roeddwn ar fin gofyn iddo ai rhywbeth i wneud efo pysgota oedd *cyniwair* pan glywsom lais yn galw ei enw. Cododd ar ei draed, ac yna trodd tuag ataf.

'Dwi'n gobeithio y cawn ni barhau efo'r sgwrs 'ma eto,' ac yna brysiodd i ffwrdd tuag at ddrws agored.

***

Gwlad bell yw'r gorffennol; gwlad lonydd iawn, gwlad hudolus. Wrth edrych yn ôl ar y dyddiau hynny, gwelaf Ddolfrwynog fel petai'r fferm yn bod oddi mewn i un o'r teganau bach Dolig 'na rydach chi'n ysgwyd ac yna mae eira yn disgyn dros y byd bach rhwng eich bysedd.

Os ysgwydaf y glôb eira nawr, be wela i?

Gwelaf ddyn a merch ar ferlen mynydd, fo ar y blaen a hithau efo'i breichiau o gwmpas ei ganol, yn crwydro ar hyd a lled Dolfrwynog. Gwelaf nhw'n mynd yn hamddenol braf ar hyd y dolydd; gwelaf fraich dde'r dyn yn amneidio i sawl cyfeiriad, fel pe bai o'n disgrifio ac yn esbonio. Gwelaf y ddau ohonynt yn disgyn oddi ar gefn y ferlen wrth yr afonig ym mhen draw'r cacau; penliniant wrth y lan fel pererinion, codant ddŵr i'w cegau gyda'u dwylo

Ai fy nychymyg sy'n gweld y ddau ohonynt yn cychwyn i fyny'r llwybr serth ar yr ochr goediog rhwng y dolydd a'r ffriddoedd? Ai dichell rhamantaidd – ynte cenfigen – sy'n gorfodi'r ferch i golli ei gafael ar y dyn, ac yna syrthio'n bendramwnwgl dros gynffon y ferlen, i lawr y llethr drwy'r rhedyn a'r rhengoedd o glychau'r gog glas-piws, yn chwerthin ac yn chwerthin ac yn chwerthin...

Gwelaf Elgan yn rhoi naid i lawr ac yna'n helpu'r ferch i godi; mae'n rhoi hwb iddi'n ôl ar gefn y ferlen, cyn tywys ei ffrind bach newydd i fyny i'r ffriddoedd uwchben.

Rhoddaf y glôb eira i lawr, a rhof fy mhen yn fy nwylo.

Dychymyg yw hyn oll – ond gwn fod Elgan a'r ferch yn y wisg werdd wedi mynd am dro o amgylch y fferm ar y diwrnod cyntaf hwnnw ar ôl iddynt ddychwelyd o'r fynwent. Yn ôl Gwyn, roedd y ddau ohonynt yn eistedd wrth y bwrdd mawr gwyn yn y gegin pan aeth o i'w wely, ac roeddent dal yno yn y bore. Doedd yr un ohonynt wedi cysgu, roedd hynny'n amlwg,

gan fod y ddau'n eirias boeth. Teimlai Gwyn ryw ynni trydanol
yn y stafell; roedd aroglau chwerw-felys yno hefyd, cynnyrch
dau gorff poeth yn rhathu yn erbyn ei gilydd mewn lle cyfyng
drwy gydol noson dyngedfennol – oglau tebyg i'r sawr a adewir
ym maril gwn ar ôl ei danio. Ac mi roedd golau rhyfedd yn
eu llygaid, golau gwyn disglair, golau llusernau'n symud drwy
gors ddu ar noson o hydref.

Pan ddaeth y ddau ohonynt yn ôl i'r ffermdy yn Nolfrwynog,
gofynnodd Elgan i'w frawd os âi efo fo i ben y Fron. Bryncyn
uwchben y tŷ oedd y Fron, efo copa o eithin trwchus. Yno yr âi'r
brodyr i chwarae pan oeddent yn blant; yno yr aent i chwarae
mig ym mherfeddion y ddrysfa bigog, ac roedd ganddynt
guddfan yno hefyd – ogof fach, lle bu hen waith plwm. Yno
caent ddianc oddi wrth y môr-ladron a ymosodai ar y cwm
o bryd i'w gilydd – ym myd bach gwefreiddiol eu dychymyg,
wrth gwrs. Byddent yn mynd yno am dro efo'i gilydd yn aml
ar hyd y blynyddoedd, yn arbennig pan fyddai'n rhaid gwneud
penderfyniad pwysig.

Yn ôl Gwyn, aethant i eistedd yng ngheg yr ogof, a bu
trafodaeth rhyngddynt ynglŷn â'r ferch. Roedd yn amlwg fod
Gwyn yn llawn edmygedd o'i frawd bach beiddgar, gan ei fod
wedi denu sylw merch brydferth ac wedi dod â hi i Ddolfrwynog
– gweithred ramantus a chyffrous. Yn wir, roedd y cyfan fel
rhan o'r theatr glasurol – drama oruwchnaturiol wedi'i gosod
ar lwyfan yr hen dduwiau ymysg y cymylau uwchben. Ond er
fod Elgan wedi erfyn ar y ferch i aros yno efo'r brodyr, wnâi hi
ddim cysgu yn y ffermdy. Wyddai o ddim pam. Doedd hi ddim
wedi bwyta dim byd chwaith, y cyfan a gymerodd oedd glasiad
o ddŵr oer.

Doedd ond un ateb. Roedd y ferch wedi'i chyfareddu gan y
tyddyn ar y mynydd – Hafod yr Haul. Cerddodd o amgylch y

caeau bach brwynog hyd at ben draw y tir, cyn mynd ymhellach, i ben y foel uwchben y tyddyn – Llys Dymper – ac wedyn eistedd yno am sbelan hir. Yna, aeth i'r pwll yn yr afon a throchi ei thraed yn y dŵr. Yn olaf, aeth i'r bwthyn. Gorweddodd ar y gwely, caeodd ei llygaid a gwrandawodd ar y byd oddi amgylch Hafod yr Haul. Cododd ar ei heistedd, edrychodd o amgylch y stafell yn ofalus, ac yna dywedodd: 'Dyma'r lle.'

Dyna'r oll. Doedd dim rhaid iddi ddweud mwy na hynny, meddai Elgan. Ac felly, roedd o'n gofyn ffafr. Na, dymuniad pwysicach o lawer na ffafr. Roedd Elgan yn gofyn am aberth; gofynnodd i Gwyn a wnâi edrych ar ôl y fferm ar ei ben ei hun am gyfnod tra âi Elgan a'r ferch i fyw yn Hafod yr Haul.

Am faint? Ni wyddai Elgan – ychydig ddyddiau efallai, wythnosau, misoedd – doedd dim modd gwybod. Ac oherwydd fod Gwyn yn caru ei frawd bach yn ddiamod, dywedodd: 'Gwnaf.'

Trawyd y fargen yng ngheg yr ogof wrth i'r ddau frawd edrych i lawr ar Ddolfrwynog. Gwyddent, mae'n debyg, fod newid mawr ar ddod. Roedd ffawd wedi anfon llythyr cyfareddol i'w cyfeiriad. Be ddigwyddai nawr?

Yn hwyrach y diwrnod hwnnw, ar ôl paratoi pecyn o fwyd a nwyddau tŷ i'w llwytho ar gefn y ferlen, cerddodd Elgan a'r ferch i fyny'r allt i gyfeiriad y giât mynydd, yn hamddenol braf yng nghwmni ei gilydd. Edrychodd Gwyn arnynt am yn hir, tan bod cynffon y ferlen wedi diflannu heibio'r tro yn yr allt. Daeth yr hen ddistawrwydd yn ôl i Ddolfrwynog, a daliodd Gwyn i sefyll yno tan fod pob arwydd o'u hymadawiad wedi cilio'n llwyr.

Sylwodd bryd hynny – wrth i'r gwyll ddechrau ymostwng y llen ar y ddrama – nad oedd o'n gwybod ei henw hi. O hynny ymlaen, adwaenid hi gan bawb fel 'y ferch' neu 'y ferch yn y wisg werdd'.

Daeth amser noswylio, ac ar ôl bwydo'r cŵn a bwrw golwg ar yr ychydig anifeiliaid yn y cytiau, caeodd Gwyn y drws ac aeth i eistedd wrth y bwrdd. Cannwyll oedd ei unig gwmni y noson honno, a dyna'r tro cyntaf erioed iddo gysgu ar ei ben ei hun yn Nolfrwynog.

Yn y cyfamser, roeddwn innau wedi plygu i ewyllys Elgan ac wedi dechrau canlyn ei ffrind Huw. Siôn Pob Crefft oedd Huw. Gallai droi ei law at rywbeth. Byddai galw mawr am ei waith ar nifer o'r ffermydd – yn torri cloddiau, yn codi waliau, neu'n trwsio toeau. Roedd yn gneifiwr rhagorol, ac yn medru gwneud gwaith ffariar hefyd. Oedd, roedd Huw yn rêl boi efo'i ddwylo. Roedd hefyd yn weithgar ac yn uchelgeisiol – dymunai brynu fferm ei hun rhyw ddiwrnod, a magu tylwyth tebyg i deulu Dolfrwynog.

Ar ôl cael y winc gan Elgan, gofynnodd imi fod yn gariad iddo. Y broblem gyntaf oedd canfod lle i gyfarfod, gan fy mod innau wedi digio â'r blaenoriaid ac yn gwrthod mynd i'r capel. Fanno oedd prif gyrchfan y bobl ifanc, ac yno hefyd y byddai'r cariadon yn cwrdd ran amlaf.

Yna, fe gafodd Huw dipyn o *brainwave*. Roedd un o'r ffermydd, Llys y Gwynt, yn wag oherwydd fod yr hen bobl wedi marw a doedd neb yno i'w ffermio am gyfnod – roedd y ferch wedi priodi dyn cyfoethog tua saith milltir i ffwrdd ac roedd y mab wedi mynd i Merica i wneud ei ffortiwn. Ni chlywyd gair ganddo am amser maith, a thra roedd y twrna yn trio cael gafael arno, gosodwyd y tir a gofynnwyd i Huw gadw llygad ar y lle am dâl bychan bob mis. Roedd y tŷ wedi'i gloi, ond roedd y llofft stabal dal yn agored ac fe aeth Huw ati i'w dacluso. Tra oedd o wrthi'n gwneud hynny, canfuwyd lle byddai Dic Deryn yn cuddio'i ddillad crand – mewn hen gwpwrdd yng nghornel ein llofft caru. Ymhen dim roeddem wedi creu nyth bach reit gartrefol, lle delfrydol i ni 'chwarae tŷ bach' efo'n gilydd. Roedd sleifio yno i'w gyfarfod yn gyrru gwefr drwy fy mêr; teimlwn fel hogan ddrwg yn mynd i ddwyn afalau, neu i wneud rhyw ddrygioni dirgel. Am y tro cyntaf yn fy mywyd, profais y cyffro hwnnw sy'n ymloywi cuddfannau godinebwyr a chariadon cêl y wlad.

Dechreuasom fel plant bach diniwed yn chwarae ymysg y coed, yn priodi efo stribed o laswellt gwyrdd fel modrwy; ond yn fuan iawn aethom yn bendramwnwgl i mewn i'r busnes o garu. Nid *caru* chwaith, oherwydd doeddwn i ddim yn ei garu. Ond rhoddais fy hun iddo'n llwyr. Darganfyddais nwyd a serch – pleserau'r corff. Roedd Huw'n gryf ac yn olygus, roedd ein caru'n noeth ac yn boeth. Ni phoenwn ddim am feichiogi; yn hynny o beth, ffawd oedd wrth y llyw. Pe digwyddwn feichiogi, priodwn ef. Ond doedd dim ots gen i. Teimlais ryddhad mawr yn ein carwriaeth; weithiau mae'n haws ymroi eich hun i rywun os nad y'ch chi'n ei garu. Nwyd, a dyno fo.

Daeth dwy Eirlys i fodolaeth. Credai un ohonynt, hyd yn oed bryd hynny, yn y gair *cariad* – yn yr un modd ag y mae cerflunydd yn gweld y ffurf orffenedig oddi mewn i dalp o graig amrwd. Ai dyna yw cariad – y siâp a welwn ni, a ni yn unig, oddi mewn i garreg cyn i ni godi'r cŷn a gwneud y trawiad cyntaf? Faint sy'n medru gwneud siâp del erbyn y diwedd, a faint sy'n diweddu – fel finnau – efo swp blêr o deilchion ar y llawr wrth eu traed?

Gwenwn pan gerddai Huw yn goeglyd o amgylch y llofft stabal yn gwisgo het dyn pwysig ac un o'r teis lliwgar – o gasgliad y byddigions – a dim byd arall heblaw ei groen gwyn Cymreig, i wneud i mi chwerthin.

Ond teimlwn yn ddagreuol pan awn allan drwy'r drws a gwelwn Dic yn aros amdana i efo tusw o flodau. Gwyddai, rhywsut, be oedd yn mynd ymlaen. Eisteddwn wrth ei ochr ar un o'r grisiau a dodai ef ei ben ar f'ysgwydd am chydig. Yna rhoddai y blodau i mi fel arfer, a dywedai ei unig air: 'anhweg.' Gwelwn ddagrau'n cronni yn ei lygaid diniwed, a deallwn fod Dic yn fy ngharu i. Gwelwn hefyd fod ei olwg yn dirywio, fel ei ddannedd. Roedd Dic yn heneiddio, ond cariad plentyn oedd ar ei wyneb.

'Diolch i ti Dic, fy nghariad del i,' dywedwn wrtho bob tro, mor syber â morwyn ddiwair yn un o'r hen chwedlau. Yna âi Dic yn llon drwy'r caeau, yn chwibanu fel aderyn. Y creadur bach – efo'i deis crand a'i sgidiau tyllog. Nid hawdd yw ymestyn tosturi i'r rhai sy'n ein caru'n ddiofyn. Medrwn wneud hynny efo Dic; ond nid efo neb arall.

Roedd gan Siani High Heels air arbennig i ddisgrifio merch fel fi. Jadan. Gwyddai Siani'n iawn am ein lloches yn Llys y Gwynt, ond ni ddywedodd hi air wrth neb. Ni wn y rheswm dros hynny hyd heddiw. Hwyrach mai trugaredd tuag at Dic Deryn oedd wrth wraidd y peth. Wn i ddim, wir; wna i byth ddeall pobl, na wnaf wir.

Ac yna daeth datblygiad newydd. Pan edrychwn i'w llygaid gwyddwn fod dynion eraill hefyd yn gwybod fod Eirlys y forwyn fach ddiniwed wedi diflannu am byth, ac bod rhywun arall wedi cymryd ei lle. Yn lle'r ferch, wele ddynes. Pan gwrddwn â dynion ar y ffordd, deuai golau rhyfedd i'w llygaid. Deuant yn agos, yn rhy agos, cyffyrddent fy nghnawd. Nid y bechgyn yn unig, ond dynion hŷn hefyd – dynion priod, a hen ddynion blêr efo gwallt gwyn, pensiynwyr yn adfywio eu hieuenctid. Cyffyrddent yn f'ysgwyddau efo blaen eu bysedd, a gafaelent yn f'arddyrnau, cystal â dweud: *Dw i'n gwybod, wsti.*

Dwi'n gwybod dy fod ti'n hoenus ac yn nwydus, dwi'n gwybod dy fod ti'n chwalu'r gwely yn Llys y Gwynt. Gwyddom ni oll dy fod ti'n gerain ac yn llefain ac yn brathu ysgwydd Huw yng nghysgodion eich paradwys bach yn y llofft stabal.

Ac atebwn innau, heb ddweud gair: *Dw i'n falch fy mod i'n gwybod y gyfrinach fawr. Dwi'n falch fy mod i wedi herio'r hen flaenoriaid du yn eu teml trwm; dwi'n falch bod Huw yn dangos y cleisiau ar ei gnawd ac yn chwerthin; dwi'n falch fy mod i'n cusanu pob dyn yn y byd pan fwyf yn cusanu Huw. Dwi'n falch fy mod i'n hogan ddrwg, dwi'n falch fy mod i'n fyw!*

Aeth amser heibio. Daliai Gwyn i ffermio Dolfrwynog ar ei ben ei hun, ac awn innau yno bob dydd i weini. Ni chlywsom air oddi wrth Elgan am wythnos gyfan. Awn innau i garu yn llofft stabal Llys y Gwynt ar ddwy noson yr wythnos. Disgwyliem am arwydd o ryw fath – edrychem am fwg ar y gorwel, comet yn y nos, neu ddilyw efallai. Oblegid fe wyddai pawb fod rhywbeth yn mynd i ddigwydd.

Pennod 5

BE WELODD Y ferch yn y wisg werdd, pan aeth hi efo Elgan i'r mynydd am y tro cyntaf? Dim byd crand, gellwch fod yn sicr o hynny. Darn o dir yng nghanol nunlle yw Hafod yr Haul – cynefin y gylfinir a'r gigfran; ynys guddiedig yn anialwch diderfyn Mynydd Hiraethog.

I fynd yno, rhaid i chi ddringo'n araf drwy ffriddoedd Dolfrwynog; wedi cyrraedd y giât mynydd rhaid mynd ymlaen drwy'r brwyn a'r grug, i fyny drwy blygiadau'r tir – gan fod yn ofalus rhag disgyn i mewn i un o'r corsydd peryglus bob ochr i'r llwybr; powlenni o dyfiant mall, gyda'u dyfroedd budr, oeliog. Anodd yw gweld y siglenni crafangus hyn – cartref Chwys yr Haul, planhigyn ysglyfaethus sy'n llyncu pryfed – tan i chi ddisgyn i mewn at eich bol. Os digwydd hynny, fe deimlwch y gors yn tynnu fel hen wrach heb ddannedd yn sugno ar ddarn o gig seimllyd. Weithiau ymddengys yr haul yn sydyn ac fe welwch hyfrydwch ymysg y peithiau diffaith – llu o bennau bach gwyn yn dawnsio yn y gwynt. Eira'r Gors yw'r rhain, dyrneidiau o gotwm ar ben brigau brau.

Ymhen hanner awr o grwydro drwy dwyni'r mynydd, dowch i ben bryncyn bach ac yna'n sydyn gwelir Hafod yr Haul oddi tano, fel jochiad o gawl pys ym mhowlen y mynydd. Deuir ar ei draws fel breuddwyd coll yn nyfnderoedd y nos; darn o Annwn ydyw, talaith bell nad yw'n bod.

Y peth cyntaf i ddenu sylw yw bryncyn bach crwn, annaturiol o wyrdd, ymysg y Sahara o ffeg. Fe'ch hatgoffir chi, hwyrach, o'r lluniau a welir mewn hen lyfrau daearyddol yn dangos *oasis* yn anialdir yr Aifft, efo rhes o gamelod yng nghysgod llwyn ir o goed palmwydd – ac yn wir, mae 'na dair coeden enfawr yn sefyll hyd heddiw yng nghysgod y bryncyn ger Hafod yr Haul. Dwy sycamorwydden ac un onnen – yr unig goed o fewn tair milltir.

Meddyliwch, da chi, y gofal roedd ei angen i fagu'r tri planhigyn a ddygwyd yno gan ryw greadur gobeithiol, flynyddoedd yn ôl. Dyn efo gwraig a thylwyth o blant, yn ôl pob sôn. Pa weledigaeth Feiblaidd a'i sbardunodd i gymryd talp o fynydd a chreu llwyfan i ddrama fach deuluol ymysg porffor y grug? Ai Moses bach Cymraeg ydoedd, yn arwain ei lwyth i wlad yr addewid?

Cododd gartref iddynt oll ar safle hen dŷ unnos, ac yna aeth ati i lunio fferm o'r tir mynyddig tra roedd ei wraig wrthi'n creu aelwyd. Cymerwyd tua hanner can acer o frwyn a grug a gwnaed cartref efo caib a rhaw, chwys a gobaith. Naddwyd pob clawdd a ffos gan y dyn hwn mewn chwe diwrnod (yn ei ddychymyg) – ac yna gorffwysodd ar y seithfed. Ni fuasai neb yn meiddio gwneud y fath beth heddiw – fysan nhw'n cael eu hel i'r seilam. Pobl galed, wydn, amyneddgar oedd yr hen bobl mae'n rhaid. Yr hen Gymry. Maen nhw wedi syrthio drwy graciau'r byd erbyn hyn – fel y gwnawn ninnau hefyd, i'r arallfyd y tu hwnt i Hafod yr Haul.

A dyma oedd ei waddol: bryncyn gwyrdd, saith cae brwynog efo ffens o'u cwmpas, tair coeden, tŷ bach gwyn efo to sinc, ffynnon lân a chorlan. Yna bu farw, yn hen ŵr deugain oed. Gwywodd y teulu. Ond daeth achubiaeth – tyfodd cariad rhwng y ferch hynaf a mab Dolfrwynog; priodwyd hwy ar Ŵyl

San Steffan wrth i eira mân droelli dros eglwys y llan. Unwyd y ddau deulu ac unwyd y ffermydd hefyd. Ymhen amser aeth trigolion tlawd Hafod yr Haul oddi yno, a chwalwyd y teulu i'r pedwar gwynt yn ystod y Rhyfel Mawr. Aeth Hafod yr Haul yn wag, ac felly y bu am gyfnod maith.

Ond roedd gan Caradog Evans, tad Gwyn ac Elgan, berthynas agos â'r hafod. Yn wir, teimlai'n agos at y mynydd yn ei gyfanrwydd. Âi yno bob cyfle a gâi, naill ai i hel ei gynefin neu i grwydro drwy'r grug. Roedd rhywbeth am y lle yn siwtio ei natur. Dyn yr anialdir ydoedd; roedd rhan ohono'n feudwy, neu'n bererin. Hoffai fynd i Hafod yr Haul ar gefn merlen; clywid ef yn galw ar ei gŵn neu'u chwibanu ac yn canu wrth fynd yno, oherwydd fe godai ei ysbryd gyda phob cam a gymerai tuag at y terfyn. Âi i'r hafod yn yr hydref i gynnau tân mawn cyn mynd o amgylch ei ddefaid. Crwydrai ymysg y merlod gwyllt a'r cornchwiglod, yna âi i eistedd o flaen y tân i synfyfyrio a gwrando ar synau'r mynydd: cri'r boncath uwchben, murmur pell yr afonig, a brefiadau defaid yn crwydro fel cymylau ar hyd a lled y diffeithwch unig.

Roedd cadw'r tŷ mewn cyflwr da yn draddodiad teuluol. Âi Caradog a'i feibion yno bob gwanwyn – cyn agosed â phosib at Fawrth y cyntaf – i wyngalchu'r adeilad bach un ystafell. Aent â sachaid o galch yn ogystal â phwmp troed i chwistrellu'r gwyngalch ar hyd y waliau. Gwae hwy os âi rhywfaint o'r hylif i mewn i friw, llosgai fel colyn sarff. Yna, pob deg mlynedd, aethent ati i liwio'r to sinc â phaent coch. Clywid hwyl a miri mawr tra oeddent wrthi; roedd y ddefod yn ddathliad o ddyfodiad y gwanwyn, a hefyd yn rhyw fath o seremoni i gadarnhau a chlodfori presenoldeb y teulu yn y fan honno ar y diwrnod hwnnw. Carreg filltir arall yn hanes hir yr Efansiaid ar eu taith drwy'r byd, os mynnwch.

Fel yr Efansiaid i gyd, ac Elgan yn arbennig, roedd y tŷ yn le bach sgwat, cyhyrog, a chrych o wallt coch yn do iddo. O'i flaen roedd llwyfan naturiol, coed o'i amgylch a ffynnon wrth droed yr onnen. Sicrhawyd bob gwanwyn y byddai llyffant yn byw yn y dŵr, i'w gadw'n lân. Roedd yr hen ysgubor a'r cytiau wedi diflannu ers tro – cymerwyd y cerrig i adeiladu sgubor fawr newydd i lawr yn y cwm, wrth ochr ffermdy Dolfrwynog.

I'r fangre anghysbell hon y dygwyd y ferch yn y wisg werdd, ond ei dewis hi oedd hynny a neb arall. Ymgartrefodd y ddau yno a gwelwyd mwg yn codi o'r simdde. Ond ychydig iawn a ŵyr neb am y cyfnod a ddilynodd; mae'r hanes hwnnw'n gudd. Digon yw dweud fod y llwyfan yn barod ar gyfer pennod gyfareddol yn hanes y fro.

***

Pan oeddwn yn ifanc fe ddigwyddodd rhywbeth bythgofiadwy. Roeddwn i'n dal yn yr ysgol, ond ar fin ymadael. Clywais si fod un o ferched y pentref wedi cwympo mewn cariad â llanc ifanc, a bod ganddi lun ohono. Roeddwn yn daer isio gweld y llun hwnnw, felly talais geiniog am y fraint o'i gyffwrdd.

O'r diwedd, wrth gefn y cantîn bwyd, cefais gyfle i'w weld. Llun bach du a gwyn ydoedd yn dangos dyn ifanc yng ngwisg yr awyrlu, â het fach dalog ar ochr ei ben. Os cofiaf yn iawn, roedd ganddo fwstás bach tenau ar ei wefus. Doedd y llun ei hun ddim yn arbennig o drawiadol – doeddwn i ddim yn ffansïo'r arwr gymaint â hynny – ond roedd natur a siâp y llun yn wefreiddiol, oherwydd roedd rhwyg ar hyd un ochr gydag ysgwydd a braich merch yn ymddangos wrth y rhwyg. Torrwyd y llun yn ddau gan rywun – ond gan bwy? A phwy oedd y ferch yn yr hanner coll?

'O,' meddai'r ferch, 'fi 'di'r hogan yn y darn arall. Ddaru o rwygo'r llun yn ddau, iddo fo gael cadw un darn a finnau'r llall. Pan ddaw o'n ôl mi gawn roi'r ddau ddarn wrth ei gilydd a chreu darlun cyfan eto. Dyna ydi *true love* 'de, Eirlys.'

Wrth edrych yn ôl heddiw, sylweddolaf mai twyll oedd y cyfan. Roedd hi wedi darganfod y llun ar lawr mae'n debyg – llun a rwygwyd yn ddau gan ferch arall, cariad go iawn y dyn efallai – neu roedd hi wedi dwyn y llun ac wedi creu rhyw ramant gwirion er mwyn derbyn fy arian i. Coeliais bopeth ar y pryd, dyna sut hogan oeddwn i – rhamantus a hygoelus.

Rhywbeth cyffelyb yw'r gorffennol – darnau bach o hen lun wedi'i rwygo'n ddarnau a'i luchio i'r pedwar gwynt. Er mwyn creu darlun cyflawn eto o'r cyfnod hwnnw yng Nghwm y Blodau basa'n rhaid gwahodd pawb draw i Ddolfrwynog. Caent eistedd fel yr hen anghydffurfwyr gynt o amgylch y bwrdd gwyn yn y gegin a chaent osod eu dernyn hwy o'r llun mawr ar y ford, fesul un, cyn cael paned a sgwrs. Byddai pawb yno, hyd yn oed Siani High Heels, Dic Deryn a Meri Maes y Llan. Byddem oll yn ceisio cwblhau'r darlun fel jig-so enfawr. Byddai rhannau heb eu gorffen a darnau bach eraill ar goll, wedi syrthio y tu ôl i'r ddresel neu o dan y cwpwrdd llestri. Âi pawb ati i gwblhau'r llun ar y bwrdd yn Nolfrwynog, efo Meri Maes y Llan yn mwydro a Dic Deryn yn rhoi darnau yn fy llaw ac yn sibrwd 'anwheg' – byddai ambell i fwlch, wrth gwrs, gan fod rhai o gyn-drigolion y fro wedi mynd a'n gadael ni efo'u darnau nhw'n dal yn eu gafael.

A be ddangosai'r darlun mawr ar y bwrdd, efo'i fylchau a'i rychau a'i blygiadau?

Dangosai fro Gymreig – ardal wledig, ddistaw, gapelgar, yn adfer ar ôl rhyfel trychinebus. Ni ofynnodd neb a ddymunem fod yn rhan o'r rhyfel hwnnw; gorfodwyd ni, ac aberthodd nifer o'n dynion ifanc eu bywydau. Doedd pobl y cwm ddim wedi diodde'r newyn a thrais a ddioddefwyd dros y môr – wedi'r cyfan, wnâi dipyn bach mwy o dlodi ddim rhyw lawer o wahaniaeth gan fod pawb wedi bod yn dlawd ers oes Adda beth bynnag. Wedi'r gyflafan, cynhaliwyd parti yng Nghwm y Blodau i ddathlu buddugoliaeth y genedl. Darparwyd gwledd fach i blant y fro ar res o fyrddau yn iard yr ysgol, gyda'r oedolion yn gweini arnynt – y fi yn eu mysg. Roedd het fach liwgar a balŵn ar gyfer pob plentyn. Ond er y gwledda – y pentyrrau o frechdanau ham a chaws, y jelis coch a gwyrdd a'r cacennau jam – parhau wnâi'r gwacter. Roedd y rhyfel wedi chwarela'r wlad; naddwyd tyllau yng nghalonnau rhieni; rhawyd eu teimladau i domen y frwydr. Cofiaf ryw dristwch bach gwan yn diffodd y lliwiau. Gwynt bach hiraethus yn y bondo. Distawrwydd ar ddyrnodiau hirlwyd; a chwyn lle bu cusan a gair clên ar y trothwy gynt.

Amser drwg oedd y cyfnod hwnnw. Roedd pawb yn gochel rhag rhywbeth – galar, euogrwydd neu ofn. Dewiswyd pwyllgor arbennig i ffurfioli ein galar. Sefydlwyd cronfa i adeiladu cofeb i'r bechgyn a gollwyd, ond trodd hi'n ffrae bron yn syth bin. Mynnai'r eglwyswyr ei chodi wrth borth yr eglwys, a mynnai'r capelwyr – y mwyafrif erbyn hynny – ei chodi wrth fynediad y capel. Ar ôl cyfnod o ddadlau ac ymgecru, penderfynwyd ei chodi yng nghanol y sgwâr, rhwng y dafarn a'r eglwys. Cerflun efydd ydyw yn dangos milwr ifanc blinedig yr olwg yn pwyso ar ei ddryll. Cytunai pawb fod y cerflun yn realistig dros ben. Dywedai rhai fod wyneb y dyn yn perthyn i Guto Tŷ Draw, mynnai eraill ei fod o yr un ffunud â Dewi Tan Graig. Saif yno hyd heddiw ar ei lwyfan bach ithfaen, yn edrych tuag at y ffordd sy'n mynd o'r pentre, fel petai o'n ofni ymosodiad arall. Bob mis Tachwedd tyf cylch o flodau coch o amgylch ei draed, ac aiff y pentre'n fud am awr neu ddwy. Ond mae'r pentref yn ddistaw fel y bedd bron iawn pob awr o'r dydd, yn arbennig nawr fod yr efail a'r siop wedi cau. Dros y blynyddoedd mae'r bachgen efydd wedi troi'n wyrdd o litrwm i litrwm, ond mi fydd o'n sefyll yno hyd ddydd y farn, nid fel ei gyfoedion.

Cyn dyfodiad y ferch, mwynheais ein bywyd ar y fferm, ei rythmau a'i batrymau. Aeth y dyddiau heibio, torasant yn dymhorau ac yna'n flynyddoedd. Codwn efo'r haul; ymolchwn, gweithiwn, siaradwn, bwytawn, gweithiwn eto, cerddwn adref, newidiwn, bwytawn, eisteddwn, cysgwn. Lledodd fy nghanol fymryn, cochodd fy nwylo, crychodd fy ael, ystumiodd fy nhraed. Tyfodd Elgan fwstás, eilliodd Elgan fwstás. Prynodd gi newydd, prynodd dractor ac yna Land Rover, collodd dipyn o'i wallt. Cododd Gwyn bob bore gyda'r wawr; godrodd, ffensiodd, cloddiodd, bwytaodd, chwarddodd, gwaeddodd, chwibanodd, syllodd ar y lleuad drwy'r ffenest, cysgodd. Roedd y fferm fel blodyn perllys ar ochr y ffordd, gyda'i ben llydan gwyn; os safwn wrth un ohonynt yn gwylio'r llwyfan bach prysur gwelwn bob math o bryfed yn mynd ac yn dod – gwybed hofran yn glanio fel awyrennau bach, yna cyrff bach coch y chwilen cardinal yn pori'r wyneb, yn ogystal â phryfed glas a gwyrdd – yn glanio, yn bwydo, yn cenhedlu, yn lladd ei gilydd, yn mwmian ac yna'n hedfan i ffwrdd eto. Dyna sut y teimlwn innau hefyd, fel gwybedyn yn mynd ac yn dod ar ben blodyn.

Haul–gwaith–lloer–cwsg, haul–gwaith–lloer–cwsg ac yna heneiddio a marw.

Yna cyrhaeddodd y ferch yn y wisg werdd; a gyda hi daeth haf tesog, un o hafau cynhesaf y ganrif. Am gyfnod hir wedi'r flwyddyn honno fe gofiai pawb am y dyddiau hir heulog, yr awyr las, y crwyn brown, a'r chwerthin a'r sblasio ym mhyllau'r

afon – oblegid roedd cenhedlaeth newydd o ferched yn mynd
â'u plant i lawr i chwarae'n y dŵr.

Parhaodd y garwriaeth rhyngof a Huw. Aem i gadw oed yn
y llofft stabal ddwywaith yr wythnos, ac yn raddol newidiodd
y berthynas. Datblygodd elfen o chwarae plant: awn i Lys y
Gwynt yn gynnar gan roi dillad simsan, ffasiynol amdanaf.
Eisteddwn o flaen y drych yn y gornel a rhown golur a lipstig.
Clymwn fy ngwallt i fyny fel y modelau yn y cylchgronau
Saesneg o Lundain, gwisgwn bâr o sgidiau sawdl uchel, ac
yna goleuwn sigarét – roeddwn wedi dechrau smocio pan
aem 'i gadw seiat', chwedl Huw. Roeddwn isio edrych fel
merch go iawn – un o'r merched 'na yn *Vogue* neu *Harper's*.
Roeddwn i isio *teimlo* fel dynes go iawn, nid fel morwyn fach
efo dwylo caled a gliniau briwiedig. Roedd dwy Eirlys erbyn
hyn: yr Eirlys ar y buarth a'r Eirlys yn y gwely. Dwi'n credu
bellach bod 'na ddwy ferch ym mhob dynes, un ohonynt yn
dangos ei hwyneb i'r byd a'r llall yn guddiedig ond does dim
ond un dyn sy'n edrych arni hi bob tro. Unplyg ydi dynion
– anifeiliaid bach syml; a phan fydd merch noeth o'u blaenau
byddan nhw fel ci yn ymofyn sgrapyn o fwyd. Mi gafodd Huw
ddigon o sgraps.

Drwy gydol y cyfnod hwnnw yn Llys y Gwynt, daeth yr
Eirlys arall i'r fei. Dadwisgwn yn araf o'i flaen; pryfociwn ef,
rheolwn ef. Arhoswn tan y byddai'r creadur yn erfyn ac yna,
pan oeddwn yn barod, rhown ei ddanteithion iddo. Ai Jadan
oeddwn i? Jesabel? Na, dim ond dynes yn mwynhau bod yn
ddynes. Es i'n rhy bell un diwrnod. Gwyddwn fod Dic Deryn
yn eistedd ar y grisiau ac es draw i'r drws yn noethlymun.
Agorais y drws a gadewais iddo fo weld fy nghorff. Sefais yno
i'w bryfocio, efo un llaw i fyny ar y wal a'r llall ar gliced y drws,
fel duwies. 'Anwheg i ti Dic,' dywedais mewn llais rhywiol

gyffrous. Dic druan. Gwridodd, cododd ar ei draed, a gwnaeth swn dyn yn cael ei grogi; yna heglodd hi o'na. Bu bron iddo faglu ar ei ffordd i lawr. Ddaru o ddim edrych i fyw fy llygaid i ar ôl hynny, ddim unwaith.

Ymhen amser trodd y chwarae'n chwerw. Roedd o isio priodi, fe wyddwn hynny – ond nawr roedd o isio mynd at y gweinidog i wneud trefniadau. Roedd arno eisiau dyddiad pendant, roedd o wedi blino aros. Ond roedd gen i esgus yn barod bob tro. Gohirio, gohirio, gohirio. Yn y diwedd roeddwn wedi blino dweud celwydd. Yn hwyr neu'n hwyrach byddai'n rhaid i mi ddweud y gwir wrtho. Doeddwn i ddim yn ei garu. Doeddwn i ddim isio'i briodi. Ond roedd gen i isio chwarae'r gêm am 'chydig bach yn hwy oherwydd fy mod i mewn cariad efo'r *syniad* o gariad erbyn hynny – y freuddwyd, ond nid y weithred ei hun.

Cariad yw'r gair pwysicaf yng ngeirfa pawb, a bûm innau yn pendroni ynglŷn â'i ystyr drwy gydol fy oes. Pe bai *cariad* fel aderyn yn y clawdd, be fyddai ei liw a'i siâp? Ai denu'r creadur i lanio ar eich llaw – er mwyn cael gweld pob pluen – ydi'r broses o syrthio mewn cariad? Ynte aur ym mhen pob enfys ydi cariad? Rhywbeth tebyg i ferlen Rhiannon, yn ymbellhau bob tro aiff rhywun yn rhy agos?

Neu hwyrach mai rhyw fath o ddisgyrchiant ydi o. Os felly, rydym ni oll fel planedau yn symud o amgylch ein gilydd yn y gofod mawr – yn tynnu ar ein gilydd un foment, yna'n ymbellhau.

Diflannodd Elgan o 'mywyd i a daeth newid i fuarth Dolfrwynog, gan y bu'n rhaid i Gwyn a finnau weithio'n galetach fyth, ond doedd dim ots am hynny. Gwyliem yr allt i fyny i'r mynydd bob awr o'r dydd, yn disgwyl – ond ddaeth o ddim yn ôl am wythnos gyfan, ac yna dim ond weithiau, yn yr hwyrnos pan fyddwn i wedi troi am adre. Sylwais ar rywbeth trawiadol wrth sgwrsio efo pobl y fro o ddydd i ddydd. Gwelwn fod eu llygaid yn edrych i fyny tua'r mynydd yn amlach na dim – yn wir, newidiodd ffocws y fro yn araf. Gwelwn y ffermwyr yn sefyll yn eu caeau ac yn syllu tua'r clawdd mynydd uwchben, fel petaent yn disgwyl gweld llong ofod yn cyrraedd o un o'r planedau pell; codai'r blaenoriaid eu llygaid tua'r mynydd fel petaent yn disgwyl golau llachar a llais gorchmynnol, a syllai'r plant bach i fyny o iard yr ysgol fel petaent yn disgwyl gweld uncorn...

Erbyn i'r gwanwyn gymryd gafael roedd trigolion y fro fel cynulleidfa yn edrych tuag at Hafod yr Haul ac yn disgwyl; am be, ni wyddent. Am arwydd, neu am lais y tu ôl i'r llen; neu efallai disgwylient syndod a rhyfeddod. Hud a lledrith. Oblegid dyna yw un o brif nodweddion dynol ryw; onid ydym ni oll yn disgwyl am rywbeth? Onid ydym ni oll yn gobeithio gweld angel, yn gobeithio gweld gwyrth?

***

Af am dro eto, o lan y môr i fyny drwy'r cymoedd – yn fy nychymyg. Hedaf dros afon a bryn, dros y caeau bach gwyrdd a'r coedydd. Ymhen chydig cyrhaeddaf fy hen gartref – Cwm y Blodau. Nofiaf yn araf ar donnau'r awelon, yn gwylio'r tir oddi tanaf. Mae'r gwanwyn wedi gorlifo drwy'r dolydd a'r nentydd, ac mae can mil gwahanol fath o laswyrdd yn coluro'r tir. Rhyddhawyd y gwartheg o'u cytiau, a gwelaf y bustych yn rhedeg yn wyllt ar hyd y cae o dan y tŷ yn Nolfrwynog, y rhyddid newydd wedi mynd i'w pennau. Draw ar y dolydd gwelaf Gwyn yn symud ymysg y defaid a'r ŵyn, ac mae ganddo ŵn o dan ei gesail, gan fod llwynog wedi bod yn cymryd rhai o'r ŵyn.

Gwelaf flerwch o wlân wrth y goeden dderw yng ngwaelod y cae, lle bu'r llwynog yn gwledda yn ystod y nos. Gwn fod Gwyn druan wedi llwyr ymlâdd. Mae ganddo gylchoedd du o dan ei lygaid, ac mae ei draed yn drwm ar y tir. Bagla dros bridd twrch – mae fy hen gyfaill bron â chysgu ar ei draed.

Gwelaf ferch yn croesi'r buarth efo bwced, a hithau wedi gorffen y godro ac ar ei ffordd yn ôl i'r gegin i baratoi'r bwyd. Dilynir hi gan haid o ieir cwynfanllyd yn ymofyn llond llaw o geirch. Mae hi wedi anghofio'u bwydo nhw, ond nawr aiff i'r cwt ger y tŷ a daw yn ôl efo dysglaid o fwyd iddynt. Mae ganddi ddiwrnod o waith caled o'i blaen, ond fel y dywed hi ei hun yn aml – dyfal donc a dyr y garreg.

Lle mae Elgan? Dacw fo, ar y bryncyn uchel wrth y giât mynydd. Mae o'n eistedd ar gefn y ferlen winau, yn edrych i lawr ar y fferm. Erys yno am amser, yn hollol llonydd; yr unig symudiad a welaf yw cynffon y ferlen yn erlid y pryfed ar ei ffolennau. Mae o'n gwisgo'i gap glas, ac mae Jess yn gorwedd yn y grug gyda'i thafod binc yn crychdonni o'i cheg. Mae hi'n gwylio ei meistr yn graff fel arfer. Yna, gwelaf Elgan yn troi'r ferlen i gyfeiriad Hafod yr Haul ac yn symud yn araf drwy'r porffor.

Bydd rhywun yno i'w groesawu am y tro cyntaf erioed. Gwelaf fwg main yn codi o'r corn simdde, atgof o'r tân mawn a gynnwyd neithiwr i gynhesu'r stafell.

Lle mae'r ferch? Chwiliaf am sblash o wyrddni – ac yna fe'i gwelaf, ar y maen mawr gwastad ger y pwll yn yr afon. Mae hi'n eistedd yn union fel ag yr oedd hi y noson honno pan ganfuwyd hi gan Elgan yn y fynwent, ei choesau wedi'u plygu oddi tani a'i gên ar ei breichiau, sydd wedi'u plethu dros ei gliniau.

Gwelaf Elgan yn carlamu ar hyd y ffordd fach anwastad a'i rhychau dwfn. Daw atgof o Elgan yn dreifio'r Land Rover newydd ar hyd y lôn efo'i holwynion yn y rhychau, ac ef yn codi'i ddwylo oddi ar y *steering wheel*, gan ddweud: 'Sbia Eirlys, mae'r peiriant yma mhell cyn ei amser, mae o'n medru cadw at y ffordd heb i mi orfod gwneud dim i'w lywio.' Teimlaf yr un fath fy hun erbyn hyn, yn cael fy ngyrru ar hyd rhychau'r byd heb fedru newid cwrs fy mywyd.

Arhosaf yn bell i fyny yn yr awyr, yn edrych i lawr ar Hafod yr Haul. Mae'r awelon yn boeth un eiliad ac yna'n oer, wrth i mi symud drwyddynt. Cyrhaedda Elgan y llidiart sy'n arwain i Hafod yr Haul. Disgynna oddi ar y ferlen ac aiff drwy'r corlannau, ar hyd y ffordd drol i'r tŷ gan arwain y ferlen â'i law dde. Yna, wedi cyrraedd y llwyfan o flaen y tŷ, saif am dipyn yn y cysgod o dan y coed. Dw i'n colli golwg arno, ond clywaf ef yn rhyddhau tordres y cyfrwy ac yna'n tynnu'r ffrwyn oddi ar ben y ferlen. Clywaf y lledr yn gwichian a darnau bach dur y bit yn janglo. Yna gwelaf y ferlen yn symud i ffwrdd o'r coed ac yn dechrau pori; mae rhan o'i chefn, lle bu'r cyfrwy, yn dywyllach na'r gweddill – ôl chwys yn sychu'n araf. Aiff Elgan a'r tac i mewn i'r tŷ ac yna cerdda drwy'r cae bach brwynog sy'n arwain i lawr at y pwll yn yr afon. Aiff at y ferch, gan eistedd ar y llechen wrth ei hochr. Gorwedda ar ei hyd, yn ei hwynebu â'i ben yn ei law. Ni ddywedant air wrth ei gilydd, a'r rheswm dros hynny yw bod fy nychymyg yn pallu. Rhewa'r olygfa o flaen fy llygaid, aiff y llun yn ddu a gwyn. Daw crychau a phlygiadau i andwyo'r darlun, oblegid dyna yw hyn oll – darlun yn fy nychymyg. Os gwelaf y ddau ohonynt yn ymgomio'n ddistaw, neu'n diosg eu dillad ac yn chwarae yn y pwll, dychymyg yw'r cyfan. A daw ton o dristwch drosof. Dwi'n galaru fod yr olygfa oddi tanaf wedi'i chwalu gan amser. Gwelais gariad nad oedd wedi'i lygru, o'i gymharu â'r nwyd peryglus a brofais i fy hun efo'm neilons rhad a'm lipstig Woolworths yng nghanol y llwch a'r blerwch yn y llofft stabal yn Hafod y Gwynt.

***

Teimlaf law yn gafael yn fy ysgwydd. Yna daw pen a het rhyngof fi a'r haul.

'Miss Williams, Miss Williams, ydach chi'n iawn?'

Mae'r llais yn swnio 'mhell i ffwrdd, mae fy mhen i'n llawn o fwg. Rydw i wedi cysgu yn yr haul ac rydw i'n teimlo'n annifyr.

'Ydw, dwi'n berffaith iawn.'

Yn araf, teimlaf fy mhen yn clirio. Elis sydd wrth f'ochr; daeth i'r fynwent i weld ei wraig fel arfer ac mae o wedi fy nal i'n hepian.

Mae'n plygu ac yn codi fy llyfr bach sgwennu oddi ar y gro. Mae fy meiro wedi disgyn hefyd, a gosoda'r ddau ar fy nglin cyn eistedd i lawr wrth f'ochr, ei law chwith yn gorwedd ar fy mraich.

'Be sydd?'

Daw ei lais yn ddwys ddifrifol drwy'r niwl. Mae fy llygaid yn gwrthod clirio, a deallaf pam: roeddwn wedi bod yn ddagreuol pan es i gysgu ac mae f'amrannau yn wlyb. Gwêl yntau hynny, a gofynna i mi unwaith eto:

'Be sy'n bod, Miss Williams? Ydach chi wedi cael newyddion drwg, ydi'r doctoriaid wedi...?'

Tawela. Mae o wedi mynd yn rhy bell, ac fe ŵyr hynny.

Trof tuag ato, a dywedaf: 'Eirlys ydw i, nid Miss Williams.'

Dwi'n bigog, ond yna gwenaf i gydnabod 'mod i wedi cael pwl bach o hunandosturi plentynnaidd.

Yna, mae yntau yn gwenu hefyd.

'Iawn – Eirlys amdani, ynte.'

Dyma ddechreuad felly. Rydan ni wedi gwneud rhyw fath o gysylltiad.

'Ond Eirlys, pam y dagrau? Wyt ti'n poeni am rywbeth?'

Nodaf fod y cywair wedi newid o *chi* i *ti.* Trof fy mhen i edrych arno fo. Dwi'n edrych i fyw ei lygaid. Llygaid brown tywyll, clir, efo awgrym o hiwmor.

Dwi'n teimlo bod rhaid i mi wneud penderfyniad. Dwi'n rhyddhau fy mraich o'i afael ac yn cydio yn fy nhaclau sgwennu – y beiro rhad a'r *exercise book* clawr coch efo rhestr o fesurau a phwysau ar y cefn. Mae o bron wedi'i lenwi, bydd rhaid prynu un arall.

Synfyfyriaf am sbelan. Faint o bobl ydan ni'n medru ymddiried ynddynt yn llwyr dros fywyd cyfan? Llai na deg? Llai na phump?

Heddiw, wrth eistedd ar y fainc yn fy lloches yn y fynwent, rwy'n gwneud penderfyniad pwysig. Dwi'n cymryd siawns, fel cerdded i mewn i siop dywyll Bob y Bwci a rhoi swp o bres ar y dyn 'ma wrth fy ochor, Elis Morgan. Wn i ddim pam, wir. Greddf? Profiad bywyd? Ffoli neb? Ynte ydw i'n taflu sialens i'r byd?

Weithiau, dim ond weithiau, mae'n rhaid cymryd siawns. Naid i'r tywyllwch.

'Meddwl am y gorffennol oeddwn i. Cofio, a difaru.'

'Difaru? Rydan ni gyd yn difaru am rywbeth neu'i gilydd,' sibryda yntau efo'i ben i lawr.

'Ond wnest ti rioed ladd rhywun, naddo Elis?'

Cwyd ei ben i edrych arnaf. Edrycha i mewn i fyw fy llygad, sylla i mewn i ganol fy mod. Wedyn, ar ôl cloddio fy mhen, cwyd ar ei draed yn araf – mae o wedi cloffi – ac estynna ei law i roi hwb i mi godi. 'Rwyt ti wedi lladd rhywun, do?

Efo *revolver* yn y *billiard room*, yntau efo canhwyllbren yn y llyfrgell?'

Does gen i ddim clem be mae o'n sôn amdano. Ond mae'n amlwg nad yw'n fy nghymryd i o ddifri.

'Fasa ti byth yn medru lladd neb, Eirlys,' meddai efo gwên ar ei wyneb. Yna dechreua'r ddau ohonom ni gerdded tua'r dref.

'Tyrd o'na, awn ni am baned yn y Puffin View. Maen nhw'n cynnig sgon a phaned am nesa peth i ddim ar hyn o bryd.'

***

Tridiau yn ddiweddarach, es i gartref Elis am ginio dydd Sul. Heb yn wybod, roeddwn wedi cerdded heibio'r tŷ nifer o weithiau wrth i mi chwilio am noddfa lle cawn sgwennu hanes fy mywyd yng Nghwm y Blodau. Hen fwthyn morwr ydi'r tŷ, gyda ffenestri bychain a waliau trwchus. Adeilad plaen ydi o efo rhosod cochion yn fframio'r drws ffrynt – drws glas yng nghanol adeilad gwyn llachar. Ond yr hyn ddaliodd fy sylw pan welais yr adeilad am y tro cyntaf, fisoedd yn ôl, oedd y tŵr gwyn sy'n sefyll ymysg y grug a'r banadl ar y creigiau y tu cefn i'r tŷ. Er 'mod i'n defnyddio'r gair tŵr, nid tŵr go iawn ydi o. Yn wir, dydi o fawr uwch na phymtheg troedfedd, gyda chorff crwn a dwy ffenest fwaog yn ei waliau. Edrycha braidd yn ddirgel, gyda'i ben castellog a'i agwedd nobl, fel petai'n anturiwr enwog yn edrych i lawr ar wlad bell am y tro cyntaf.

Cinio diaddurn a roddwyd ar y bwrdd. Cyw iâr, tatws, moron a phys gyda grefi siop. Ac o'r siop hefyd daeth y darten falau a'r cwstard, ond roedd popeth wedi'i baratoi cystal ag y medrai unrhyw ddyn a oedd wedi gorfod dysgu sut i edrych ar ôl ei hun ar ôl bywyd cyfan o fod o dan ofal merched. Ymddiheurodd.

'Dwi'n trio dysgu o dipyn i beth ond dydw i'm yn gogydd naturiol. Wnaiff o 'mo dy ladd di, gobeithio.'

Cawsom sgwrs hamddenol dros y bwyd. Roedd yn hawdd siarad efo Elis, doedd na ddim ffys na ffurfioldeb annaturiol. Cawsai newyddion o'r *surgery*; byddai'n rhaid iddo gael llawdriniaeth i weld be oedd yn bod, ond doedden nhw ddim i weld yn poeni rhyw lawer – ac wrth gwrs, roedd o i gyd am ddim nawr.

'A be amdanat ti?'

'Dydw i ddim yn deall yn union be sy'n bod, ond bydd yn rhaid i mi gymryd tabledi arbennig a newid y ffordd dwi'n bwyta.'

Edrychodd yn bryderus arna i a chwifiodd ei gyllell i gyfeiriad fy mhlât.

'Ydi hwnna'n debygol o achosi problem?'

'Ddyweda i wrthot ti mewn awr neu ddwy.'

'*Ulcer* mae'n siŵr,' meddai Elis.

'Ia wir, os dyna 'da chi'n ddeud, Dr Morgan.'

Gwenodd arna i, yna cliriodd y bwrdd ar ôl i ni orffen. Aethom i'r gegin i olchi'r llestri, Elis yn golchi a finnau'n sychu. Roedd golwg raenus ar y lle, a gofynnais iddo pwy oedd yn gwneud y gwaith tŷ.

'Fi,' atebodd. 'Dw i isio edrych ar ôl fy hun rŵan. Fuaswn i'm yn teimlo'n gyfforddus cael rhywun yma i dacluso, a beth bynnag, tydw i ddim yn ddyn cyfoethog. Na, dwi'n iawn fel ydw i, a pheth arall, dwi yn y stydi am oriau weithiau yn gweithio ar fy llyfr ac mae distawrwydd yn angenrheidiol i mi.'

'Wyt ti'n sgwennu llyfr?'

'O, dim byd o bwys. Hanes y dref. Welais i lawer o gofnodion pan oeddwn i'n lyfrgellydd – fi oedd yn edrych ar ôl yr hen ddogfennau, ac mi ddechreuish i ymddiddori yn y dref. Mae hanes Cymru wastad wedi bod yn ddiddordeb mawr gen i, beth bynnag. Dwi'n licio chwilota o gwmpas fel ditectif, a chanfod sut fath o bobl oedd yn byw yma, be roedden nhw'n ei wneud, a be oedd eu diddordebau.'

Yna, ar ôl sychu ei ddwylo, amneidiodd tua'r drws cefn.

'Tyrd o'na, i ti gael gweld fy niddordeb arall – garddio.'

Ac allan â ni, i baradwys fach flodeuog. Roedd yr ardd yn llawer iawn mwy na ddisgwyliwn, gyda afonig fach yn rhedeg drwyddi a phob math o ryfeddodau – pontydd bach cain a rhodfeydd dan y coed. Welais i 'rioed gymaint o flodau yn fy mywyd, a doedd gen i ddim syniad am enwau'r rhan fwyaf ohonyn nhw. Sôn am liwiau! Roedd hyd yn oed llwyn o goed yng nghornel bella'r ardd, o dan y creigiau, efo adeilad bychan yn y canol.

'Croeso i'r ffoli,' meddai Elis, a gwnaeth sioe fawr ymffrostgar o fy nghroesawu i mewn iddo. Ynddo roedd bwrdd gwyn a dwy gadair wen haearn, ac yno y buom ni'n eistedd am ddeg munud, yn mwynhau'r cysgod ac yn edmygu'r ardd. Edrychai'r ffoli fel rhyw fath o deml glasurol, gyda waliau crwn a phedwar piler ar yr ochr agored. Yn amlwg, roedd y cyfan newydd ei baentio, gan fod ambell i smotyn o baent ar y glaswellt y tu allan. Aeth Elis i'r tŷ i wneud paned i ni, a phan ddaeth o'n ôl gyda llond hambwrdd o lestri, sylwais fod 'na oriad bach du ymysg y geriach.

Gyrrwyd fi'n gynddeiriog gan y goriad bach hwn, a gwyddai Elis mod i'n daer isio gwybod be oedd o. Gwenodd yn slei.

'Tisio fi dywallt?' gofynnodd, gan esgus nad oedd dim byd o'i le.

'Gwranda Elis, wna i chwarae mam os wnei di roi'r gorau i'r ffol-di-rol 'ma.'

'Paid â chynhyrfu,' meddai'r twpsyn. *'All in good time...'*

Bu bron i mi roi celpan iddo fo.

Ond yna daeth ei herian hurt i ben a rhoddodd y goriad yn fy llaw.

'Dos i fyny'r llwybr na yn fancw, mae o'n arwain at y tŵr.'

Fel ymateb, tolltais de i'w gwpan o yn or-ofalus, a dywedais:

'*All in good time, Elis.*'

Ond ymhen dim roeddwn i wedi cerdded am y tŵr a rhoi'r goriad yn y drws. Agorodd yn ddidrafferth, ac es i mewn. Sefais wrth y drws, a gadewais i fy llygaid addasu i'r golau gwantan. Ar y chwith roedd ystol fach yn arwain at agoriad yn y nenfwd. Roedd silff fawr drwchus o dan y ffenest, yn dilyn y wal gron. Roedd droriau o dan y silff, a edrychai fel desg fwaog. Gwelwn gadair ledr gyfforddus gyda blanced liwgar drosti; telesgop mawr efydd hen ffasiwn, a jamjar gyda swp o daclau sgwennu yn ogystal â *blotting paper* a thair photelaid o inc – glas, gwyrdd a choch. Ar y waliau roedd 'na hen luniau bach du a gwyn a sepia yn dangos cychod ar y traeth, pysgotwyr yn trwsio'u rhwydau, morwyr barfog yn eu *sou'westers*, hefyd roedd 'na restrau o ddynion a oedd wedi gwasanaethu ar y bad achub lleol ac roedd siart enfawr yn dangos yr harbwr a'r map o flaen y dref, gyda phob math o linellau a symbolau na wyddwn i ddim amdanynt.

Ond yr olygfa oedd orau – gwelwn y promenâd o un pen i'r llall, yn ogystal â'r harbwr bach gyda'i gychod lliwgar. Gwelwn y môr yn ymestyn oddi tanaf hyd at y gorwel, a'r gwahanol liwiau yn glytwaith symudol o flaen fy llygaid, fel caleidoscop – glas golau, glas tywyll, gwyrdd golau, gwyrdd tywyll wrth i gysgodion y cymylau symud dros y dyfroedd o gwmpas yr ynys. Gwelwn y cyfan oll, o'r gorllewin i'r dwyrain, hyd at yr hen linell bell.

Yna synhwyrais fod y golau'n newid, a gwelais gysgod yn y drws. Roedd Elis wedi cyrraedd. Ond arhosodd yn y drws, gyda'i ben ar osgo.

'Be ti'n feddwl?'

'Mae o'n anhygoel. Fan'ma rwyt ti'n sgwennu dy lyfr?'

'Nage. Roeddwn i'n meddwl hwyrach mai yn fan'ma fysa ti'n licio sgwennu dy hanes? Wedi'r cyfan, rwyt ti wedi bod yn edrych am loches ers i ti gyrraedd y dref.'

'Ond Elis... dydi hyn... fedra i ddim...'

Roedd y geiriau wedi mynd ar goll.

'Lle rwyt ti'n sgwennu dy lyfr dy hun, felly?'

'Yn y stydi, mae hwn yn rhy fach – mae gen i lyfrau ar agor a dogfennau ar hyd a lled y stafell, fasa ddim posib gwneud hynny yn fan'ma.'

'Ai ti ddaru godi'r twr 'ma?'

'Rargol, nage! Mae'r twr wedi bod yma ers cyn co. Twr y *look-out* oedd o, i'r gwr oedd yn cadw llygad ar y môr. Os fyddai o'n gweld perygl ar y môr, byddai'n canu'r gloch ar ochr y twr i alw dynion y bad achub. Mae'r gloch wedi cael cartref newydd rwan, fel math o gloch seremonïol yn yr adeilad newydd.'

Gwelwn hwnnw i'r chwith, ar gyrion y dre.

Aeth Elis ymlaen efo'i stori.

'Hen dŷ morwr ydi fy nghartref, yna daeth un o fy hen deidiau yma – y fo oedd y *cox* ar y bad achub cyntaf. Roedd yr adeilad o dan y twr, yn y gornel 'cw wrth ochr y tŷ,' a dangosodd efo'i fys lle bu'r cwt ar un adeg. Roedd pob arwydd ohono wedi diflannu bellach.

Rhaid cyfaddef fod y twr yn lle perffaith i mi gael sgwennu fy mhwt o hanes, a dychmygwn fy hun yn cael eistedd yno â'm llyfr bach coch, yn sugno ar ben fy meiro.

Ond allwn i ddim cymryd mantais o'i haelioni – os mai

haelioni ydoedd. Be oedd ganddo mewn golwg? Oedd o'n mynd i gymryd mantais ohonof i rhywsut? Ond atebodd llais bach yn fy mhen: *pa fantais, Eirlys? Dydi o ddim isio dy gorff di'n siŵr, ddim fel roedd Huw yn y llofft stabal. Fydd o ddim yn disgwyl i ti aros amdano fo yma yn dy neilons truenus a dy lipstic coch; na, dim diawl o beryg. Ac mae o'n gwneud y bwyd ac yn glanhau ei hun, sut ddiawl fysa fo'n medru cymryd mantais?*

'Gwranda Eirlys,' meddai yntau, fel pe bai o wedi darllen fy meddwl, 'does gen i'm isio dim gen ti. Rwyt ti wedi crwydro i mewn i fy mywyd i ac rwyt ti wedi agor drws yn fy meddwl, dyna'r oll.'

'Agor drws...?' Doeddwn i ddim yn deall.

'Rwyt ti'n *gweld*, Eirlys. Rwyt ti'n edrych o dy gwmpas o hyd, ac mae hynny wedi fy nghyffwrdd i.'

'Elis, dwi'n bownd o edrych o 'nghwmpas – dwi'n ddiarth yn y lle 'ma ac mae 'na gymaint o bethau newydd yma, pethau na welais i mohonyn nhw o'r blaen.'

'Na, rwyt ti'n gwneud mwy na chwilio a chraffu, rwyt ti'n *edrych* ar y byd. Rydw i wedi gweld dy lygaid di'n symud ac yn gweld, rwyt ti wedi dysgu rhywbeth newydd i mi.'

Roedd un peth yn sicr, gwelai ef Eirlys nad adwaenwn i o gwbl.

Aeth i eistedd ar stôl isel wrth ochr y silff bren a gorffwysodd ei ben ar ei law. Welwn i moi'i wyneb yn y cysgodion, ond gwyddwn ei fod o'n edrych arna i.

'Dwi'n meddwl weithiau fod pobl y wlad yn edrych ar y byd mewn ffordd wahanol i bobl y dref,' meddai'n ddistaw. 'Rhywbeth i'w wneud efo'r gorffennol. Byddai llygaid yr hen bobl yn symud o gwmpas o hyd, yn edrych am fwyd, neu am bren i gynnau tân, neu am lysiau i flasu bwyd...wn i ddim wir. Maen nhw'n edrych i mewn i'r cysgodion, maen nhw'n edrych i fyw eich llygad fel petaent yn edrych am rywbeth na all neb yn y ddinas ei weld.'

Edrychais yn fud ar y môr. Be wnawn i efo'r dyn 'ma, sut atebwn i fo? Be fedrwn i ddweud i gadarnhau 'mod i'n amgyffred rhywfaint o'i eiriau? Chwiliais am syniadau, ac yna dywedais:

'Mae Anwen fy chwaer yn coelio mewn rhywbeth tebyg. *Yr Olwg* ydi ei gair hi amdano fo. Rhywbeth sy 'mond yn digwydd unwaith mewn bywyd, meddai hi – a hynny dim ond os ydi rhywun yn ofnadwy o lwcus.'

'Be ydi ystyr hynny, felly?'

'Wel, rhywbeth fel hyn. Pan fo dyn a dynes yn cyfarfod am y tro cyntaf, weithiau – unwaith mewn bywyd efallai – maent yn edrych ar ei gilydd mewn ffordd hollol unigryw. Dydyn nhw erioed wedi edrych ar neb fel'na erioed o'r blaen.'

Chwarddodd Elis.

'Mae hi wedi bod yn gwrando ar South Pacific. *Some enchanted evening, you may see a stranger across a crowded room…* lol rhamantus ydi hynny.'

'Nage Elis, mae hi'n dweud ei fod o lot dyfnach na hynny. Mae hi'n dweud mai dau enaid yn cyfarfod ydi hyn, nid dau gorff. Un olwg bwysig, dyngedfennol.'

'Wyt ti'n credu yn *Yr Olwg*?'

'Dydi o erioed wedi digwydd i mi, Elis.'

'Na finnau chwaith, felly dyna ni. Ydi o wedi digwydd i Anwen?'

Daeth fy nhro i i chwerthin.

'Hen ferch ydi Anwen, dydi hi erioed wedi cusanu dyn hyd y gwn i, heb sôn am…'

'Ond rwyt ti wedi caru rhywun, do?'

Cyffyrddais â blaen fy nhrwyn efo bys. 'Fy musnes i ydi hynny.'

Cododd ar ei draed, a daeth i sefyll y tu ôl i mi. Rhoddodd ei law chwith ar fy ysgwydd, ac yna pwyntiodd tua'r ynys yn y pellter.

'Be rwyt ti'n weld yn fancw, Eirlys?'

'Ynys?'

'Ia, ond be sydd ar yr ynys?'

'Adar am wn i?'

Ac yna gwelais rywbeth arall hefyd.

'Ac mae 'na dŵr o ryw fath?'

'Tŵr yn edrych yn ôl i gyfeiriad ein tŵr ni, Eirlys. Tŵr hen eglwys ydi hwnna – roedd 'na fynachdy yno hefyd, yn y gorffennol pell. Bu brenin Cymraeg yn cuddio yna tra roedd brenin o Northumbria yn trio'i ladd o; bu sant yn byw yno hefyd. Ond pwy'n union oedd y dynion hyn? Pwy oedd yn mynd â bwyd iddyn nhw? Sut bobl oedden nhw? Oedden nhw'n drewi? Oedden nhw'n siarad math o Gymraeg basa ni'n medru'i ddeall heddiw? A pheth arall, Eirlys, roedd y tir yn ymestyn o leiaf dwy filltir ymhellach i'r môr yn yr hen ddyddiau, mae 'na gofnodion yn dangos ffermydd a phentrefi lle mae'r dŵr erbyn hyn; mae eu hoelion wedi eu darganfod.'

Edrychais ar y môr a'r ynys gyda llygaid ffres. Roedd yn anodd credu fod brenin wedi byw ar dipyn o dir yn procio o'r môr, a bod bro gyfan wedi diflannu dan y don.

'A pheth arall, Eirlys, oes 'na wahaniaeth rhwng pobl y tir a phobl y môr? Dw i'n meddwl bod 'na, wsti. Roedd y môr 'cw fel priffordd unwaith. Dyna sut fyddai'r bobl yn symud o gwmpas ran amlaf, gan fod y tir yn rhy beryg. Roedd y môr yn brysur gyda masnachwyr yn dod â gwin ac offer ac addurniadau o bob man yn y byd. Roedden nhw'n dod â syniadau newydd efo nhw hefyd. Ond mae pobl y tir yn byw mewn cymoedd bach cyfyng, dydyn nhw ddim yn gweld y gorwel bob dydd, ac felly dydyn nhw ddim mor agored i syniadau newydd, efallai.'

Erbyn hyn roeddwn yn teimlo'n reit wan.

'Dyna ddigon am rŵan, Elis! Rwyt ti wedi bod yn taflu syniadau o gwmpas y lle 'ma am hydion, mae fy mhen i'n gowdel. Gad lonydd rŵan, gad i mi feddwl am eiliad!'

Sythodd, a symudodd ei law i ffwrdd.

'Sori Eirlys, dwi'n medru mynd i dipyn o hwyl pan dwi'n trafod fy hoff bynciau. Tyrd, awn ni am baned cyn i ti fynd.'

Cytunais, a chaeais y drws ar ein holau. Estynnais y goriad iddo.

'O na, Eirlys, gei di gadw'r goriad. Tyrd fel lici di.'

Daeth trem yr hogyn bach yn ôl i'w wyneb, a chynhesais tuag ato. Roedd o'n ddyn clên iawn, gwelwn hynny rŵan. Ac yn ddiniwed hefyd, mae'n debyg. Dyn ar goll, yn trio gwneud cymwynas â dynes ar goll. Y ddau ohonom ni'n bererinion ar fôr mawr amser. Wyddwn i bron iawn ddim amdano, ac ni wyddai yntau fawr ddim amdanaf innau. Roeddwn i wedi trio datgelu fy nghyfrinach fawr ddu, ond roedd o wedi newid y pwnc...

Yn y gegin fe wnaeth baned i ni ac eisteddais innau fel llygoden, yn gwrando ar yr hen gloc yn tician. Yna, dros stêm y tebot, dywedodd:

'Gei di sgwennu dy hanes yn y tŵr, yli, ac fe wnaf innau orffen sgwennu hanes y dre yn fy stydi. Am y gorau, ia?'

Amneidiais, a gwenais.

'Am be wyt ti'n sgwennu p'run bynnag?' holodd.

'O, am hanes fy mro, Cwm y Blodau – hanes Gwyn ac Elgan, a stori'r ferch yn y wisg werdd.'

'Y ferch yn y wisg werdd?'

'Ia, merch a ddaeth dros nos i'r cwm, merch a gafodd effaith mawr ar bob un ohonom ni.'

'Mae o'n swnio'n ddiddorol, Eirlys. Dwi'n edrych ymlaen at ei ddarllen.'

'Dydw i ddim yn siŵr ar hyn o bryd os ydw i'n sgwennu i bobl eraill ynte dim ond i fi fy hun. Dwi'n trio gwneud synnwyr o'r cyfan i mi gael deall fy hun yn well. Un peth sy'n sicr, wnaiff fy llyfr byth weld golau dydd tra rwyf fyw.'

Gorffennais fy mhaned a diolchais iddo wrth y drws.

'Fy nhro i y tro nesaf.'

'Iawn, Eirlys. Nawr dos ati.'

Gadewais ef yn eistedd ar ei ben ei hun yn y gegin, gyda'r te yn ocri a'r cloc yn tician.

Pennod 6

R WY'N EISTEDD YN y tŵr.
   Oddi tanaf, yn ymestyn yn bell tua'r gorwel, mae'r môr yn wyrdd ac yn llonydd. Dŵr di-ben-draw, difesur. Dwi'n dychmygu'r tir o dan yr heli: cymoedd a bryniau lleidiog efo pysgod yn nofio drostynt; sgerbydau hen longau coll, esgyrn ac ambell i benglog ar lawr y dyfroedd. Dwi'n sugno ar ben fy meiro ac yn cau fy llygaid…yna, ar ôl dipyn, af yn ôl i'r gorffennol.

Cerddaf, yn fy nychymyg, i fyny drwy'r brwyn a'r grug, yn ôl i Hafod yr Haul. Teimlaf y mawn yn crynu o dan fy nhraed; clywaf iâr fynydd yn croch-chwerthin yn y pellter. Pan gyrhaeddaf y bryncyn uwchben Hafod yr Haul eisteddaf ar y mwsogl cynnes. Mae'n rhoi oddi tanaf, fel clustog naturiol. Agoraf fel blodyn yn y tes. Mae hi'n boeth iawn, mae'r wlad yn sych ac yn swrth.

Ymhell i ffwrdd, tua'r de, gwelaf fynyddoedd Arenig yn nofio'n araf y tu draw i len o darth llwydlas, mwg yr haul yn mygu'r tir.

Syllaf ar y llwyfan naturiol o flaen y tŷ, o dan golofnau'r coed. Yn y diwedd, dyna'n union be oedd y clwt bach hwn – llwyfan. Ac nid llwyfan i ddrama un act yn neuadd y pentre chwaith, ond llwyfan i ddrama glasurol efo duwiau a chorws. Bydd rhai yn fy nghyhuddo o greu y ferch yn y wisg werdd i ddramateiddio fy mywyd fy hun, i roi gras ac urddas – a phwysigrwydd annheilwng – i fy muchedd ar y ddaear hon. Ond na, fe ddigwyddodd hyn oll.

Rwy'n credu mai dyna yw cariad – drama i ddau, efo cynulleidfa fud – ond yna daw'r cwestiwn: ai actorion ydym ni oll, yn dilyn sgript rhywun arall bob tro, heb ddewis? Ynte ni sy'n sgwennu'r sgript hefyd – ac os hynny, pa fath o ddrama rydan ni wir isio – trasiedi, comedi, melodrama, ffars, neu gyfuniad o'r cwbl lot?

Rwy'n diweddu f'oes mewn ffars, ond roedd drama Elgan yn un dra gwahanol, yn arbennig yr act ddiwethaf. Ac os clywch dinc eiddigus yn fy llais o dro i dro, nid cenfigen noeth yw'r achos; na, fe wnes i fy ngorau i beidio digio efo Elgan. Wedi'r cyfan, roeddwn innau hefyd yng nghanol perthynas nwydus a rhywiol. Na, be ddymunwn i oedd y cariad pur, plentynnaidd, diniwed a welais ar lwyfan Hafod yr Haul yn ystod yr haf hwnnw.

Os wyf am adrodd y cyfan, y gwir a dim ond y gwir, bydd rhaid i mi gyfaddef rhywfaint o genfigen – ond nid y math hwnnw sy'n llosgi'ch tu mewn ac yn crino'ch enaid: na, nid dyna be deimlais i. Gwrandewais ar bopeth a ddywedwyd am garwriaeth Elgan a'r ferch; es i fyny i'r mynydd i'w gwylio fel pawb arall a allai gerdded neu gropian fry – a'r hyn deimlais i oedd tristwch. Tristwch nad y fi oedd yn chwarae yn y grug ac yn ymdrochi yn y pwll. Ni fynnwn fod yn mreichiau Elgan bellach, roedd hynny wedi cilio i'r gorffennol. Ond chwenychwn yr angerdd, y nwyf a'r wefr, y llonder a'r llawenydd, a welswn yn ffrydio ac yn byrlymu o flaen fy llygaid. Dyheuwn am y profiad o fod yn hollol rydd ac yn anghyfrifol; dyheuwn am fod yn ifanc eto, heb un gofal yn y byd; dyheuwn am y cyfle i brancio a sboncio fel y ddau ohonyn nhw – fel y gwnaeth Elgan a minnau i lawr wrth yr afon f lynyddoedd cynt, pan oedd y byd yn ifanc. Ond gwylio'n unig wnes i.

Dau gorff yn ymdaro dwywaith yr wythnos mewn ystafell lychlyd oedd hanes Huw a minnau; ond clymblaid oedd Elgan a'r ferch newydd, yn dathlu sacrament eu serch o dan y coed yn Hafod yr Haul. Gwrthdrawiad cnawdol oedd pob oed yn Llys y Gwynt; ond ffantasi wedi'i gweu o siffon a sidan oedd eu testemoni hwy yn Hafod yr Haul.

Ffantasi... tybed ai dyna yw'r gair pwysicaf yng ngeiriadur serch? Oherwydd tra roedd Elgan a'r ferch yn byseddu'r afalau trwm ar goed paradwys, be wnawn i ond creu ffantasi i ddeilio fy nychymyg yn y brigau uwchben? Ac fe weithiodd y ffantasi.

Tra roedd Huw yn ymosod ar fy nghorff i yn y llofft stabal roeddwn innau'n bell i ffwrdd, ymysg y brwyn yn Hafod yr Haul, yn gorwedd ar y borfa gynnes neu'n noeth yn y pwll mawr du. Nid dwylo caled Huw a deimlwn yn rasbio fy nghroen gwyn ond tafod yr afonig yn llyfu fy modiau, neu mwsogl emrald, mwythlyd y mynydd yn casglu gwlith y wawr ar hyd bryniau a chymoedd fy nghefn noeth.

Pan syllwn i'r drych yn Llys y Gwynt, ni welwn wyneb blinedig efo llond ceg o lipstig coch, ond gwelwn wyneb diaddurn y ferch efo'i gwên siriol a'i gwallt crychiog naturiol. Weithiau roedd ei gwallt yn wlyb ar ôl iddi fod yn nofio; weithiau ymddangosai yn y drych gyda chadwen o flodau llygaid y dydd ar ei phen. Gwenai'n llawn tosturi; gwyrai ei phen fel pe bai hi'n arholi fy nghyf lwr tila. Codai ei llaw i gydnabod ein cydfodolaeth – ein meim clownaidd ar wyneb y drych. Ac yna gwelwn ei phen yn troi tua'r drws, fel pe bai hi wedi clywed llais yn galw arni. Symudai ei gwefusau, atebai. Deuai gwên lydan i'w hwyneb a chodai mewn un ystum chwim. Gwelwn ei chysgod yn hedfan drwy'r drws. Dif lannai ei llun oddi ar wyneb y drych, yna clywn sibrydion cyfrinachol y tu ôl i'r drws. Ymhen dim clywn y ddau'n chwerthin yn ddirgelaidd; rhedent i ffwrdd i gyfeiriad yr afon, gwrandawn ar eu lleisiau yn gwanhau'n araf, cyn distewi'n llwyr. Ond nid arnaf i yr oeddynt yn chwerthin; na, roedd y ddau ohonynt wedi f'anghofio yn gyfan gwbl. Chwerthin i ddathlu eu hieuenctid oedden nhw – i glodfori'r rhaeadr o waed yn ffrydio drwy'u gwythiennau, si'r glaswellt ifanc dan eu sodlau, a'r awyr las uwchben.

Croen wrth groen, dwylo ymhleth, min wrth fin, dychmygais nhw ym mreichiau ei gilydd drwy gydol yr haf hwnnw: ac er fy mod innau hefyd ym mreichiau dyn, pam tybed fod y ffantasi ar y mynydd cymaint cryfach na fy mhrofiad cnawdol fy hun?

Pan ddeuai'r amser i noswylio yn Nolfrwynog, wedi i mi ddatglymu fy ffedog a'i gadael ar gefn drws y gegin, awn allan i'r buarth gan edrych i fyny ac i lawr y cwm. Synhwyrwn aroglau'r haf: y gwair yn crasu ar lawr y doldir; mwynder y mêl ifanc yn dod o gyfeiriad y cwch gwenyn; blodau'r clawdd yn seinio sylwnodau bach persawr. Syllwn i'r awyr i weld os oedd Fenws, seren gyntaf y noson, wedi ymddangos. A syllwn tua'r mynydd. Weithiau, teimlwn fod rhywbeth ofnadwy ar fin digwydd.

Be oeddwn i'n ei ofni – mellt a tharanau, cawod o bysgod yn disgyn i'r ddaear? Nac oeddwn, wrth gwrs, ond yn sicr fe ddisgwyliwn rywbeth aruthrol, gan fod elfen arallfydol i'r ddrama yn Hafod yr Haul – oherwydd swyddogaeth yr hen dduwiau oedd i ymddwyn fel hyn, nid ffermwr o gefn gwlad Cymru a llipryn o hogan heb hyd yn oed enw, heb sanau a heb gôt gaeaf chwaith. Ai duwiau'n chwarae bod yn feidrol oedden nhw ynte meidrolion yn chwarae bod yn dduwiau?

Pan awn adref ar hyd y lôn fach i'r pentref, teimlwn chwithdod yn fy mron; pallai'r golau gyda phob cam, dyfnhaodd y cysgodion. Erbyn i mi gyrraedd adref byddai'r awyr yn oeri a'r sêr yn dechrau wincio. Roedd edrych ar y nen fel edrych i mewn i wats aur fy nhad, gyda'i holwynion bach hudolus a'i chogiau cymhleth. Dyna oedd y sêr, dyna oedd y garwriaeth yn Hafod yr Haul – wats aur a'i mecanwaith astrus; ond teimlwn yn sicr y byddai gyriant y garwriaeth yn stopio'n sydyn un diwrnod. Wats aur, calon, gobaith – roedd y cwbl lot yn llonyddu yn y diwedd. Gwnes fy ngorau i anwybyddu'r teimladau hyn. Roedd un rhan ohonof yn dyheu am ddiweddglo hapus i stori serch Hafod yr Haul. Teimlwn fy mod i'n rhannu'r wefr a'r cyffro, ac fy mod i'n rhan o'r cyfan. Ond roedd rhan arall ohonof yn falch fod y caru'n mynd i ddod i ben. Os na chawn i ef, châi neb o gwbl y dyn ar y mynydd.

***

Dyna ddigon o bensynnu am heddiw, mae gen i gur yn fy mhen. Af o'r twr, i ffarwelio ag Elis yn y ffoli. Hen dduw yn loetran yn ei deml ydi o bellach, yn byw ar ei atgofion fel finnau. Be wnaiff o rŵan, ar ôl fy nal i a'm rhoi yn ei gawell aur?

Cwyd ei ben pan glyw fi'n cerdded tuag ato. Mae o'n sgwennu, ond rho ei bin i lawr pan ddof yn agos.

'Ti'n iawn? Gest ti fore da, Eirlys?'

'*Champion*, diolch.'

'Ydi'r twr yn siwtio?'

'Ydi, mae'n berffaith. Ond be amdanat ti? Ydw i wedi dy yrru di i fan'ma?'

'Nag wyt Eirlys, fan'ma dw i wastad yn sgwennu i'r plant.'

'Plant?'

Dydi o erioed wedi sôn am blant.

Edrycha arna i yn amyneddgar, yna gwena.

'Mae gen i blant fel lot o bobl eraill, wsti, dau ohonyn nhw.'

'Lle maen nhw'n byw?'

'Mae Carys yn ddoctor yng Nghaerdydd ac mae Elfyn yn beiriannydd yn Vancouver. Fydda i'n mynd i'w weld o unwaith pob tair blynedd, ac mae Carys yn dod yma i aros o leiaf ddwywaith y flwyddyn. Ydi hynna'n ddigon o wybodaeth i ti?'

Teimlaf fy hun yn cochi.

'Ond be wnawn nhw feddwl...?'

'Eirlys bach, paid â chynhyrfu. Be di'r ots be ddywedith neb? Fydd y plant wedi plesio fy mod i'n cael dipyn o gwmni. A dw i'n malio dim be ddywedith neb arall.'

Dwi'n dechrau cilio tua'r llwybr oddi yno.

'Os wyt ti'n siŵr...'

'Ydw Eirlys. Mae'n braf cael rhywun o gwmpas. Dwi'n meddwl weithiau, be di'r iws llafurio a threulio oriau yn cadw'r ardd yn daclus, paentio a chlirio'r dail, pan fo neb arall heblaw fi'n ei gweld? Tyrd yn fuan eto, gei di ddweud be sy'n mynd ymlaen yn y llyfr bach coch 'na!'

'Iawn Elis, diolch i ti.'

Dechreuaf gerdded tua'r giât, yna trof.

'Dwi'n licio sgwennu yn y tŵr, dwi'n licio edrych ar y môr.'

'Iawn Eirlys, tyrd pryd fynni di.'

Cerddaf dipyn, yna trof eto. Mae'n rhaid i mi godi fy llais y tro hwn.

'Mae hi mor braf yno.'

Cwyd ei law i ffarwelio.

''Da ni gyd isio lloches, Eirlys.'

Pan drof i gau'r giât, mae ei ben dros y llythyr eto a gwelaf ei law yn symud dros y papur. Doeddwn i ddim wedi sylwi o'r blaen ei fod yn defnyddio'i law chwith. Am eiliad, teimlaf ei law yn codi i gyffwrdd fy moch, yna'n symud yn araf i'r gwallt mân wrth ochr fy nghlust...

Gwiriondeb y dychymyg! Gwyraf fy mhen dan wenu.

***

Drennydd. Dwi'n eistedd yn y tŵr eto, wrthi'n llafurio dros jig-so fy mywyd. Un gornel – efo darn o gwmwl – wedi'i gwblhau, ond mae llawer o ddarnau ar goll.

Heddiw mae'r môr yn newid lliw o awr i awr; ar hyn o bryd mae ei wyneb yn las tywyll, ac mae'n dangos ei ddannedd wrth y lan. Mae'n rhaid fod y gwynt wedi codi dros nos.

Gwelaf gwch â hwyliau coch yn ffoi o flaen sgwd o wynt a glaw ar y gorwel. Dwi'n dilyn ei hynt, gan boeni braidd am yr eneidiau sydd arno.

Ac yna, fel pe bawn yn gorwedd ar wely yn yr ysbyty yn disgwyl i'r anesthetig gymryd effaith, rwy'n cau fy llygaid ac yn cyfri lawr o ddeg...naw, wyth, saith, chwech, pump... rwy'n nofio'n ôl i'r gorffennol...pedwar, tri, dau, un...ac yna rwyf yn ôl ar fuarth Dolfrwynog, yn fy ffedog a'm welingtons du. Mae gen i sgarff werdd ar fy mhen, wedi'i chlymu dan fy ngên, ac mae'r hen iau wern ar f'ysgwyddau. Rwyf ar fy ffordd i'r ffynnon gyda dwy fwced haearn i nôl dŵr i wneud y golchi.

Ond cyn i mi gymryd cam i fyny'r buarth, clywaf fodur yn pesychu i fyny'r allt tua'r fferm. Ymhen dim daw Ford bach du drwy'r llidiart; yna, ar ôl dipyn o fytheirio, tawela'r injan a daw dyn allan. Mae o'n glamp o foi, dydw i'm yn deall sut ddaru o fedru stwffio'i hun i mewn i'r car bach du. Saif yn edrych arna i. Mae o'n gwisgo *gaberdine* fawr hyd at ei draed, efo clamp o felt. Ar ei ben mae ganddo fedora, yn union fel het Humphrey Bogart yn *Casablanca* – fy hoff ffilm.

Dwi'n diosg yr iau ac yn mynd ato. Hola lle mae'r 'meistr'. Aiff ei lygaid i bob cornel o'r buarth.

'Yn y caeau,' atebaf, gan bwyntio i gyfeiriad y dolydd.

'Faint fydd o?'

'Wn i ddim wir, syr, mae o'n brysur iawn ar hyn o bryd.'

Edrycha'n flin arna i, fel mai fy mai i yw hyn.

'A'i i edrych amdano,' medd yntau.

Syllaf i lawr ar ei sgidiau sgleiniog.

'Well i chi fynd ffor'cw,' atebaf. Dyn y ddinas ydi o, a dechreua ar ei siwrne fel rhywun yn disgwyl i fom ffrwydro o dan ei draed unrhyw funud. Dysgais yn ddiweddarach mai dyn papur newydd oedd o. Mr Jenkins o'r *Western Mail*. Ond chafodd o ddim llawer o hwyl efo Gwyn. Edrychais arno drwy ffenest y briws, yn dod yn ôl o'r caeau. Roedd o wedi llyncu mul erbyn hynny.

Roedd hanes Elgan a'r ferch wedi lledaenu drwy'r cwm mewn diwrnod. Yna aeth y newyddion dros ben y bryniau o gylch y cwm fel llaeth yn berwi dros ochrau sosban. Gwibiodd hanes y ddau gariad ar hyd a lled y sir yn fuan iawn, yn arbennig ar ôl y mart wythnosol.

Ychydig a wyddai neb bryd hynny, mewn gwirionedd, ac fel y gwyddom ni oll, codi'r fegin wnaiff pawb os yw'r tân yn cau cynnau. Aeth un si ar ôl y llall drwy'r fro fel tân eithin. Roedd y ferch yn medru dofi ceffylau drwy suoganu iddynt; roedd adar gwyllt yn glanio ar ei dwylo. Yn orau oll, perthynai'r ferch i un o deuluoedd cyfoethog y de; roedd ei rhieni wedi ei charcharu mewn twr, gan iddi wrthod priodi y dyn a ddewiswyd iddi, ond roedd hi wedi dianc ar noswyl ei phriodas…

Lol oedd y cyfan, wrth gwrs, ond ymhen dim roedd y tân wedi cymryd gafael.

Chwarae teg i Gwyn, cefnogodd ei frawd bach. Roedd Elgan

wedi gadael ar amser wyna – yr amser prysuraf un. Ac yna deuai cant a mil o bethau eraill i boeni dyn – y cloddio, y cneifio, y cnydau, y dyfnu, ond aeth Gwyn ati'n ddygn, heb gwyno. Dyna sut ddyn oedd Gwyn. Pan welid ef gan un o'r ffermwyr eraill – yn yr efail, neu ar ei ffordd at y milfeddyg, gwnaed pob ymdrech i gael ei berfedd o, wrth gwrs. Sut oedd Elgan? Oedd o'n bwriadu priodi'r ferch yn y wisg werdd? Pwy oedd hi?

Ond codi ei ddwylo a'i ysgwyddau wnâi Gwyn. Gwenai, rhoddai winc i gyfeiriad yr holwr a dywedai rywbeth tebyg i: 'y gwalch bach – pwy fysa'n coelio wir? Mae o wedi'n synnu ni i gyd y tro hwn, dydi?'

Hwyrach fod llais bach yng nghefn ei feddwl yn dweud wrtho mai y garwriaeth ar y mynydd oedd y siawns orau i Ddolfrwynog gael etifedd bach i'r fferm, a'i chadw yn y teulu. Ond credaf fod rheswm arall wrth wraidd ei radlonrwydd. Roedd Gwyn yn edmygu'r hyn wnâi Elgan; roedd rhamant a chyffro'r sefyllfa wedi ei gyffwrdd cymaint ag unrhyw un arall. Roedd ei frawd bach wedi syrthio mewn cariad, roedd o wedi bwrw pob gofal i'r pedwar gwynt, roedd o wedi herio ffawd. Nid taeog bach o gefn gwlad Cymru oedd o, nage wir; tywysog serch oedd mab ieuengaf Dolfrwynog.

'Da iawn fo wir, fysa'r rhan fwyaf o hogia'r fro yn lladd er mwyn cael y cyfle i newid lle efo fo.' Dyna ddywedodd Gwyn wrtha'i un pnawn. 'Dydi cyfle fel'na mond yn dod unwaith mewn bywyd – os ddaw o gwbl.' A chyn gynted ag y dywedodd o hynny, edrychodd arna i efo llygaid dyn nad oedd erioed wedi anwesu merch.

Ond gwyddai Gwyn beth oedd cariad. Cariad brawd at frawd. Doedd dim siawns y byddai stori Cain ac Abel yn cael ei hailadrodd ar ddolydd Dolfrwynog. Tra roedd Elgan yn sboncio fel oen bach ar y bryniau uwchben, heb ofal yn y byd, roedd Gwyn wrthi'n slafio fel injan ddyrnu drwy'r dydd, pob dydd, ond ddaru o ddim cwyno unwaith. Ac felly y mae hi hyd heddiw, dydi o ddim wedi newid dim.

***

Ac yna, o dipyn i beth, trodd y gwanwyn yn haf. Aeth yr ŵyn llywaeth i'r caeau fesul yr un, i ysgafnhau fy maich fel mam wen. Clywyd caniad y ceiliog yn gynharach bob bore. Dechreuodd y dolydd lasu, tasgodd y gwyrddni newydd fel côt o baent ffres i fyny'r ochrau, ar hyd y coed, ac ar draws y ffriddoedd. Deiliodd y coed, ffrydiodd y blodau mân; ac yna daeth y cadarnhad olaf fod y tywydd garw wedi mynd: clywsom y gog ym mhen draw'r cwm a daeth lluwch glas-biws i goluro'r rhedyn – roedd clychau'r gog wedi cyrraedd.

Cawn gyfle nawr i eistedd o flaen drws y tŷ bob bore ar ôl brecwast i fwynhau fymryn o hoe yn yr haul. Eisteddai Gwyn yr ochr arall i'r drws gyda'i baned yn cael smôc – hoffai rowlio sigarét iddo'i hun ar ôl bwyta. Eisteddem yno fel dau focsiwr ar eu stoliau yn manteisio ar dipyn o seibiant cyn i'r ymladdfa ddechrau unwaith eto. Sgwrsiem yn hamddenol ynghylch y dydd i ddod – pwy oedd yn mynd i wneud be, a sut caem gyflawni pob gorchwyl. Byddem yn trafod Elgan o bryd i'w gilydd, ond roedd o wedi cilio'n araf o'n bywydau. Bellach, nid y fo a'r ferch oedd y prif eitem ar y newyddion bod dydd. Nid yn Nolfrwynog, beth bynnag.

Y gwir yw mai ychydig iawn a wyddem ninnau hefyd ynghylch bywyd y ddau. Deuai Elgan i lawr i weld ei frawd dwywaith yr wythnos, ond ni welais ef unwaith yn ystod y dyddiau hynny. Roedd o wedi encilio o'r byd, fel brawd gwyn yn ymneilltuo i Ystrad Fflur yn y canol oesoedd – er mai morwyn fyw, nid delw bren, a dderbyniai ei addoliad ym mhlwyf y grug a'r adar mân. Mae'n anodd i mi feirniadu Elgan, hyd yn oed heddiw, flynyddoedd ar ôl y digwyddiadau hyn, ond cefais fy mrifo bryd hynny. Hyd yn oed heddiw, teimlaf deilchion bach gwydr yn pigo fy nghalon os af ati i synfyfyrio ynghylch y cyfnod hwnnw.

Deallwn pam y cuddiai oddi wrth y byd – wedi'r cyfan, rhywbeth preifat iawn ydi caru – ond doedd dim rhaid iddo lechu oddi wrthyf innau hefyd. Creulondeb oedd hynny. Weithiau deuai ton o annifyrrwch drosof – dicter fod Elgan wedi darganfod rhywun arall, a hefyd nad oeddwn innau yn cyfrif am ddim yn y diwedd. Carai un arall yn fwy na myfi; oes modd derbyn y fath beth byth, mewn gwirionedd?

Lle mae cariad yn trigo ar adegau fel hyn? Wn i ddim wir, ond mae o'n aros, rhywsut. Erys fel ôl traed gwlyb yng nghyntedd y galon, neu fel ôl lluwch eira wrth fôn clawdd ar ôl y dadmer.

Teimlwn na adwaenwn Elgan o gwbl bryd hynny. Roedd o wedi fy anwybyddu fel ffrind – ia *fi*, y gyfeilles fach a gerddodd wrth ei ochr am y rhan fwyaf o'i fywyd. Roeddwn i wedi bod yn gefn iddo drwy haul a glaw, ac yn awr roedd o'n ymddwyn fel na bawn i'n bod.

Elgan, Elgan...lle roedd dy galon di?

Welais i mohonynt am wythnosau, ond gofynnwyd i mi ddarparu bwyd ar eu cyfer. Y peth rhyfedd yw na ddymunent unrhyw fath o gig. Bara, uwd, caws a llefrith, tatws, llysiau a ffrwythau oedd yr unig fwydydd ar y rhestr. Paratois eu gwledd priodas ddwywaith yr wythnos a rhoddais y cyfan mewn dwy falleg – y basgedi mawr a ddefnyddid i fynd ag ymborth i'r cneifwr unwaith y flwyddyn yn Hafod yr Haul. Rhoddais lieiniau gwyn dros handlen y ddwy fasged ac edrychent fel dwy briodferch yn disgwyl wrth dddrws yr eglwys. Hiwmor du oedd hyn, ond os na chwarddwn, wylwn. Tybed a welwon nhw y jôc? Yn y cyfamser, sylwais fod Gwyn wedi codi fy nghyflog; pan es i nôl fy mhres o gefn y llestr ar y ddresel roedd pum punt ychwanegol yn fy aros. Yna, pan ofynnais am esboniad ganddo, chwifiodd ei law fel pe bai'n fy ngyrru fi i ffwrdd, a throdd ei ben yn wylaidd. Doedd o ddim eisiau trafod y peth.

Yna, daeth datblygiad newydd. Un bore, pan oedd Gwyn a finnau yn eistedd o flaen y drws ffrynt, yn cael paned yn yr haul, dechreuodd y cŵn gyfarth yn wyllt ac fe wyddem bod rhywun ar fin cyrraedd y buarth. Daeth pen i'r golwg. Pen merch ifanc, â'i gwallt wedi'i dorri'n fyr fel bachgen. Roedd hi'n edrych yn union fel Audrey Hepburn yn *Sabrina* – torrwyd ei gwallt yn steil y *pixie*, roeddwn i wedi gweld y lluniau. Fuasai neb lleol wedi mentro allan o'r drws yn edrych fel'na. Edrychai ci threm ffasiynol yn hollol estron ar fuarth Dolfrwynog. Ac roedd ei gwefusau hi'n goch. Lipstig! Roedd hi'n baent i gyd – yng ngolau dydd, ar ddiwrnod gwaith yn y wlad!

'Hylô! Shwt i chi heddiw?'

Gwaeddodd rywbeth annealladwy, ac yna daeth i lawr y buarth tuag atom.

'Fi'n moyn siarad gyda Mr Gwyn Evans.'

Hogan o'r de oedd Gaynor; roedd hi'n denau fel slywen ac yn gwisgo dillad drud – dillad y ddinas.

Es i mewn i'r tŷ i wneud paned iddi, a phan ddois allan eto roedd hi'n eistedd yn fy nghadair, yn parablu efo Gwyn. Wnaeth hi ddim cynnig symud, felly rhois y baned yn ei llaw ac es i'r llaethdy i orffen glanhau ar ôl y godro. Pan brociais fy mhen drwy'r drws i weld be oedd yn digwydd, roeddynt wedi diflannu.

Clywais wedyn fod y ddau wedi mynd i'r gegin i drafod

Elgan. Ddywedodd o ddim byd llawer wrthi, ond roedd hi wedi cael ymateb ganddo i ddatblygiad newydd yn y stori. Yn ôl Gaynor, roedd nifer o bregethwyr y fro wedi cyhuddo Elgan a'r ferch o ymddwyn yn anweddus. Rhyw fath o uffern oedd Hafod yr Haul bellach – cartref y diafol a'i butain fach werdd. Defnyddiwyd geiriau fel cywilydd, amarch a chnawdolrwydd. Roedd ficer yr eglwys wedi ymuno yn y corws ac roedd nifer o bapurau newydd wedi trafod y pwnc.

Ond ddywedodd Gwyn ddim byd o bwys wrthi. Roedd o wedi gweld y drwg yn y caws.

Aeth hi o Ddolfrwynog heb stori, ac roedd Gwyn yn iawn i'w hamau. Pan welodd o Mrs Gibson y dafarn y diwrnod canlynol, daeth i glywed y gwir. Roedd y dafarnwraig yn daer isio gwybod beth oedd wedi digwydd yn Nolfrwynog y diwrnod cynt. Gwelsai Ford bach du yn cyrraedd y sgwâr ac yn parcio o dan y gofeb. Yna daeth dyn a dynes allan ohono, ac roedd hi wedi cael braw. Sut allai dyn mor anhygoel o fawr ffitio i mewn i gar mor fychan? Ia, yr un dyn oedd o: Mr Jenkins, y cythraul o'r *Western Mail* wedi dod ag abwyd newydd i geisio dal y pysgodyn.

Pan eisteddodd Gwyn a finnau wrth y drws â phaned ar ôl brecwast y diwrnod wedyn, trodd Gwyn tuag ataf a gwenodd yn wantan. Taniodd ei sigarét a gyrrodd gwmwl cynta'r haf i'r awyr uwch ei ben.

'Dyna ti, yli,' meddai'n fyfyriol. 'Twpsyn fues i erioed. Bu bron i honna gael fy mol i. Lle'r oedd fy mrêns i, dywed? Fysa Meri Maes y Llan wedi gweld drwy honna. Ond roedd hi'n uffernol o ddel, dwyt ti'm yn meddwl? Welais i ddim byd fel'na o'r blaen.'

Ochneidiodd yn ddwfn, ac yna aeth i mewn i'w fyd bach ei hun.

Na, doedd Gwyn erioed wedi gweld dim byd tebyg i'r picsi fach bert a'i dillad ffasiynol, drud. Roedd o wedi arfer efo pethau fel fi, merched chwyslyd mewn ffedog a welingtons, a hadau gwair yn eu gwallt a slobran llo bach ar eu dwylo.

***

Roeddwn ar fy ffordd i Woolworths i brynu llyfr bach coch newydd pan glywais lais yn galw arna i. Trois, a gwelais Jan yn rhedeg tuag ataf. Roedd hi'n ôl o Awstralia, ac yn wên o glust i glust.

'Croeso'n ôl, Jan. Gest ti amser da, sut oedd y tywydd?'

Dyma hi'n chwerthin ac yn gafael yn fy mraich i.

'Tyrd, awn ni am baned, ddyweda i'r cyfan wrthot ti – am y tywydd a phopeth arall hefyd. Rydach chi Gymry wastad isio gwybod am y tywydd!'

Cymerodd bron i awr iddi adrodd yr hanes i gyd. Roedd hi'n frown fel cneuen ac yn llond ei chroen. Bu bron iddi aros yno am byth, medda hi.

'Dwi wedi bod yn chwilio amdanat ti am ddyddiau,' meddai drachefn. 'Dwi wedi bod yn eistedd ar ein mainc yn disgwyl dy weld ti. Wyt ti wedi bod i ffwrdd?'

Daeth cwmwl dros y bwrdd. Be ddywedwn wrthi? Clywais fy hun yn baglu dros eiriau.

'Newid cyfeiriad. Isio gweld y môr wrth synfyfyrio... y gorwel pell...gwell darlun o'r byd mawr y tu hwnt i Gymru...'

Synnais fy hun, doeddwn i ddim wedi palu clwyddau fel'na ers talwm.

Yna gwelodd hi'r gadwen arian o amgylch fy ngwddw.

'Www, mae honna'n newydd, dydi! Anrheg?'

Cyn i mi fedru symud modfedd roedd hi wedi cipio'r gadwen

o'i chuddfan ac wedi datguddio'r goriad bach ar ei phen isaf. Roeddwn i wedi nôl hen gadwen fy nain o'r blwch tlysau ac wedi rhoi goriad y tŵr arni, i'w gadw'n ddiogel.

'Wel wir, Eirlys, rwyt ti'n ddigon o ryfeddod, yn dwyt ti? Pwy ŵyr be sy'n mynd ymlaen yn y pen bach 'na! Tyrd o'na, rhaid i ti ddweud y cwbl wrtha i.'

Ond doedd gen i'm isio dweud dim byd wrthi am y gadwen, y goriad, na'r tŵr chwaith. Yn sicr doedd gen i ddim isio crybwyll Elis.

'Dwi'n gwneud dipyn bach o lanhau i rywun yn y dre, dyna'r oll,' atebais, a rhoddais y goriad yn ôl yn ei guddfan. Celwydd noeth, ond be wnawn i?

Saethodd ei llygaid bach miniog ar fy llygaid innau fel golau car yn dallu cwningen yn y tywyllwch.

'Pwy ydi o? Waeth i ti ddweud wrtha i, wna i ddarganfod pwy ydi o rhywsut.'

Roedd hi wedi fy niflasu'n llwyr erbyn hyn. Synhwyrais fod y gyfeillach ar ben, ond roedd rhaid i mi ddweud rhywbeth cyn ymadael. A pha ots os oedd hi'n gwybod am Elis?

'Elis Morgan ydi'i enw fo. Mae o'n byw wrth lan y môr.'

'Elis, Elis…Yr unig Elis dw i'n nabod ydi hwnna sy'n mynd i nofio yn y môr y peth cyntaf bob bore. Mi enillodd glamp o fedal yn y rhyfel. Roedd o'n arfer gweithio'n y llyfrgell, dwi'n meddwl.'

'Ia, dyna fo'r dyn,' atebais er fod y nofio a'r fedal yn syndod mawr i mi.

'Eirlys! Mae hanner y dre ar ôl Elis, dwi'n nabod dwsin o ferched fysa'n ei briodi o fory!'

'Jan, does na ddim byd fel yna'n mynd ymlaen.'

Roedd medru dweud y gwir, ymysg yr holl gelwyddau, yn dipyn o ryddhad.

'Paid â palu nhw, fedra'i weld reit drwydda ti!'

Teimlwn yn druenus erbyn hyn, yn llipa ac yn wan. Doedd ganddi ddim isio'r gwir – rhyw ffantasi nwydus oedd ganddi yn ei phen. Gwelais y genfigen yn ei llygaid. 'Wel wir, Eirlys, buaswn i'n gwneud dipyn mwy na golchi'i loriau fo os cawn i'r cyfle. Dwyt ti'm yn gall. Dos amdani! Neu fydd rhywun arall wedi'i fachu o.'

Es oddi yno cyn gynted ag y medrwn. Erbyn i mi gyrraedd Woolworths roeddwn i wedi anghofio fy neges, roeddwn wedi cynhyrfu'n llwyr.

Es am dro ar hyd lan y môr, a phan welais y tŵr yn y pellter cofiais fy neges wreiddiol ac es yn ôl i'r siop. Roedd y llyfr cyntaf wedi ei lenwi o glawr i glawr, ac roeddwn i wedi'i guddio. Prynais un arall ac es adref ar frys.

Ni ddes ataf fy hun am ddeuddydd ar ôl cyfarfod Jan. Eisteddwn yn y conserfatori am oriau yn pendroni ynghylch yr hyn ddywedodd wrtha i yn y caffi.

'Be ti'n wneud yn fan'ma? Hel meddyliau fel arfer mae'n siŵr?' meddai Anwen yn reit swta. Doedd dim llonydd i gael, felly es i gyfeiriad y tŵr efo'm llyfr newydd o dan fy nghesail. Ymhen amser, clywais lais yn galw arnaf. Pwy oedd o y tro hwn? Trois, gyda fy mhen yn hel am storm; roeddwn ar fin ymateb efo cyllell fy nhafod pan sylwais mai Elis oedd yn cerdded ar f'ôl. Roedd yn chwifio rhywbeth coch yn ei law. Sylweddolais mai fy llyfr newydd oedd o – mae'n rhaid fy mod i wedi ei ollwng ar y ffordd. Cochais. Be fysa wedi digwydd pe bawn i wedi colli'r llyfr arall – yr un llawn o gyfrinachau – mewn rhywle prysur? Cywilydd y peth!

Diolchais iddo, gan esbonio mai un newydd oedd o.

'Ydi dy enw di yn y llall, rhag ofn i ti golli hwnnw?'

Es i banig unwaith eto. Roedd y llall adref, o dan y matres. Ond be petai Anwen yn ei ddarganfod? Daeth ton o arswyd drosta i.

Mae'n rhaid fod Elis wedi gweld yr ofn yn fy llygaid.

'Tyrd o'na Eirlys, tyrd acw am baned. Beth bynnag sy'n dy boeni, wnawn ni sortio fo rhywsut.' Ac ar hynny, cymerodd fy mraich ac aeth â fi adref.

Awr yn ddiweddarach teimlwn yn llawer gwell. Roedd hi'n dawel ac yn gynnes yn y gegin, ac ymlaciais yn ei gwmni. Gofynnodd i mi lle'r oedd goriad y tŵr. Dangosais iddo, a gwenodd.

'Fuaswn i erioed wedi meddwl am fanna.'

Gofynnodd i mi be oedd yn fy nghymell i sgwennu hanes Cwm y Blodau.

Syllais arno fel dafad yn wynebu ci mewn corlan.

'Wn i ddim, wir. Mae'r stori yn dianc oddi wrtha i, does gen i ddim dewis, rhywsut. Dwi'n meddwl fod gen i isio gadael rhywbeth ar f'ôl, tystiolaeth 'mod i wedi bod ar y ddaear. Tystiolaeth i ddangos fy mod i wedi byw?'

Gadawodd i'r tawelwch setlo dros yr ystafell. Roedd hi'n nosi ac roedd ei wyneb yn dechrau toddi i'r gwyll. Trawyd fi gan syniad od. Sylweddolais nad oedd gen i lun pendant o Elis ar wal fy nychymyg eto; doedd gen i ddim *snapshot* ohono. Meddyliais am y bobl eraill a oedd wedi bod yn rhan o 'mywyd. Y llun cyntaf a ddaeth i'm meddwl oedd darlun clir o Elgan yn eistedd yn y Land Rover yn disgwyl amdana i gyda'i gesail ar y lintel, gyda gwelltyn rhwng ei ddannedd a Jess yn pipian dros ei ysgwydd. Gwelwn lun o Gwyn hefo oen bach dan ei gesail; gwelwn Huw yn dod tuag ata'i yn y llofft stabal â'i lygaid ar dân; gwelwn Anwen yn ciledrych drwy'r *net curtains*. Ond doedd gen i ddim llun o Elis yn fy nghof.

Edrychais arno'n graff; roedd o'n ddyn reit fain â llond pen o wallt afreolus gyda'r godre'n britho. Roedd ganddo wyneb cryf, efo dipyn o drwyn, a dwylo mawr. Llygaid da hefyd: roeddynt yn glir ac yn chwareus. Yn y ffordd 'da ni'n mesur pobl weithiau, teimlwn fod dipyn go lew o fywyd ar ôl ynddo fo. Mae'n anodd esbonio hynny, ond mae rhai pobl fel pe baen nhw'n mynd i fyw am byth, tra bod eraill yn fwy bregus.

'Mae gen i oriad sbâr, wrth gwrs, ond a'i fyth i'r tŵr tra dy fod di'n mynd yno. Cei fod yn sicr o hynny. Felly, pam na wnei di gadw dy lyfrau a'th bethau eraill yno – byddant yn saff wedyn.'

Daeth ei wyneb i'r golau eto a chliciodd y camera yn fy mhen. Roedd gen i lun ohono o'r diwedd, llun i roi ar wal fy meddwl ar ei ogwydd yn y gadair ag un troed yn gorwedd ar ei hen-glin arall, ac yn edrych i fyw fy llygad.

Roedd rhaid i mi ofyn pam ei fod yn fy swcro fel hyn.

'A fod yn hollol onest efo ti Eirlys, dydw i ddim yn gwybod. Ond mae gen ti stori i'w dweud, ac rwyt ti wedi fy nghyffroi i. Rwyf innau hefyd yn tio dweud stori, ond mewn ffordd wahanol. Gawn ni adael y peth yn fanna?'

Gwyrodd ei ben a chododd ei law at ei ystlys fel pe bai mewn poen.

Neidiais ar fy nhraed ac es ato.

'Wyt ti'n iawn, Elis?'

Cododd yntau, a throdd i gyfeiriad y drws cefn.

'Rhaid i mi dacluso'r rhosod, Eirlys. Gad y cwpanau, wna i eu clirio nhw wedyn.'

Ond tra roedd yntau yn ffidlan efo'i flodau, es ati ar frys i glirio'r bwrdd a golchi. Yna es yn ôl adre i nôl y llyfr coch cyntaf. Roedd o dan y matres, lle adewais o; allwn i fyth ymddiried yn Anwen, roedd gen i well siawns efo Elis.

Doedd dim sôn o Elis pan gyrhaeddais yn ôl, roedd o wedi mynd i orffwys mae'n rhaid. Es am y tŵr, teimlwn yn ddiogel yno. Ond yn lle gawn i gadw fy nhrysorau? Am y tro cyntaf, es i fyny'r grisiau bach oedd yn arwain i'r llofft. Yno roedd ffenest yn edrych dros y môr, a gwely syml. Doedd dim dillad gwely arno, ond roedd clustog yn gorwedd ar gwilt lliwgar, hardd. Dangosai'r tŵr yn edrych dros y môr a'r harbwr a'r ynys ac roedd cwch efo dyn a dynes ynddo. Roedd ei fanylder a'i geinder yn wefreiddiol. Gwyddwn, rhywsut, mai gwraig Elis oedd wedi gwneud y campwaith hwn. Edrychais o'm cwmpas ond doedd dim byd arall yno heblaw llun du a gwyn ar y wal. Pe bawn wedi gorwedd ar y gwely, byddai'r llun wedi bod yn syth o'm blaen. Ond allwn i fyth orwedd ar y gwely i edrych ar y llun hwnnw oherwydd dangosai Mr a Mrs Morgan pan oeddynt yn ifanc ac yn hapus.

Teimlwn na allwn adael fy mhethau yno. Na, y ddesg sgwennu i lawr grisiau oedd y lle gorau. Roeddwn yn ymddiried yn llwyr yn Elis. Y llofft uwchben a setlodd hynny. Roedd ganddo yntau ei guddfan ei hun, fel pawb arall.

Eisteddais yn y gadair a gadewais i don ar ôl ton o emosiwn olchi drosta'i. Roedd ei gyn-wraig yno gyda mi. Teimlwn ei phresenoldeb. Cynhesais tuag ati, cyfarchais hi; amneidiais i'w chyfeiriad a ffurfiais y gair *hello* efo'm gwefusau, heb ddweud gair chwaith. Byddai'n rhaid i mi aros tan fyddai'r llun ohoni wedi setlo yn fy nghof. Ac yna cofiais am y ferch yn y wisg werdd. Ar un adeg yn y gorffennol bu rhaid i mi feddwl amdani hithau am wythnosau lawer heb lun ohoni yn fy mhen. Ysbryd oedd hi bryd hynny – rhith gwyrdd ymysg y brwyn a'r grug.

***

Daw yr haf hir hwnnw yn ôl i mi fel ffilm, nid fel rhywbeth a ddigwyddodd yn y byd go iawn. Roedd y profiad fel cerdded i mewn i sinema a gweld ffilm am wlad egsotig, ymhell i ffwrdd. Daeth yr haul fel brenin ifanc newydd i reoli'r wlad; aethom ati i'w addoli, fel y gwnaeth ein cyndeidiau gynt. Troesom ein hwynebau tuag ato bob bore fel blodau bach y maes; tywyllodd ein crwyn, a gwelwyd haen ysgafn o chwys ar bob talcen a gwefus. Erbyn amser cinio roedd y gwres wedi llifo'n araf i'n gwaed fel anesthetig. Newidiodd disgyrchiant y byd, trymhaodd ein cyrff, arafodd ein camau. Ar ôl anterth y blagur a gwyrddni gwefreiddiol y gwrychoedd, daeth awelon mwyn i'r coedydd, fel anadl ebol chwedlonol yn cael ei eni draw yng nghysgod yr irddail.

I Gwyn a minnau, haf o waith caled oedd o. Roedd rhywbeth yn galw bob munud o'r dydd. Gall anifeiliaid fferm ymddwyn fel plant drwg ar adegau. Tra bo rhywun yn ceisio cael ei wynt ato ar ôl cyflawni rhyw orchwyl neu'i gilydd, daw bref o'r cae ŷd a bydd rhaid gollwng popeth a rhedeg yno ar unwaith neu daw praidd o gymylau bach gwyn i lanio ar wair newydd y maes a bydd rhaid rhedeg efo cryman i hel y defaid oddi yno a chywiro'r clawdd. Dyna sut y bydd hi ar fferm, fe ŵyr pawb hynny. Ond er fod fy nwylo i'n friwiau a phob aelod o'm corff yn cwyno erbyn amser gwely, roeddwn i'n eitha bodlon. Roeddwn i'n rhy flinedig i fod yn anniddig. Doedd gen i'm amser i hel meddyliau.

Ond beth am y duwiau uwchben, yn Hafod yr Haul? Be oedd yn digwydd i fyny yn nheyrnas y grug a'r brwyn? Os clywem daranau weithiau, gwyddem eu bod yn chwarae; os gwelem oleuadau'r gogledd yn lliwio'r nen, gwyddem fod y ddau yn cydorwedd ym mherllannau Afallon... Dwi'n gwamalu wrth gwrs, ond dyna sut y teimlwn weithiau. Duwiau oedden nhw, taeogion oeddem ni.

Ond arferais â'r drefn, a thawelodd y fro dan faich y dwymyn. Distawodd yr adar mân, roeddent wedi gwneud eu nythod; tawelodd hyd yn oed Siani High Heels, er fod ambell i si yn cyrraedd Dolfrwynog ar brydiau. Yn ôl yr hen Siani, roedd Elgan a'r ferch wedi bod yn marchogaeth ar hyd a lled y bryniau. Gwelwyd nhw ar Foel Famau, a hefyd ar y Migneint. Yn ôl un adroddiad, roeddent wedi bod cyn belled ag Aran Fawddwy – y ddau yn crwydro ar gribau'r mynyddoedd, gan osgoi pawb a ddeuai'n agos atynt.

Doedd dim posib coelio'r straeon hyn, ond credais y ffermwyr lleol a welsai'r ddau yn crwydro ar Fynydd Hiraethog ac yng nghyffiniau'r llynnoedd, Alwen ac Aled.

Deallais bryd hynny mai ychydig iawn a wyddwn i am Elgan beth bynnag; yn sicr, ni ddychmygais unwaith fod y bachgen bach y chwaraeais ag ef yn mynd i syfrdanu'r fro – ac y byddai ei enw yn lledu ledled Cymru, diolch i Gaynor y picsi bert. Roedd hithau yn dal i ymweld â'r ffermm, ar drywydd y stori. Ac yna sylwais fod Gwyn yn chwarae gêm â hi, yn debyg iawn i'r dull y daliai'r merlod â siwgr lwmp yn ei law. Dyna ochr i'w gymeriad na welais i erioed o'r blaen – ochr chwareus, gyfrwys, ddichellgar. Dysgwn rywbeth newydd am y ddau frawd bob dydd.

Yna daeth troad newydd eto. Pan ddeuai Gwyn adref ar ôl bod i'r dref i nôl offer ffensio, neu beth bynnag oedd mewn golwg, deuai â pharseli gydag o – bocsys mawr wedi'u lapio mewn papur brown ac wedi eu clymu'n dynn â chortyn.

'Be ydi rhain, Gwyn?' holwn.

Ond gwnaeth sbort ar fy mhen i, yn union fel y gwnâi â Gaynor.

'O, wyddost ti, y stwff arferol – het consuriwr, peli jyglo a phethau fel'na.'

O hynny ymlaen, roeddwn i'n amau pob gair a ddeuai o'i enau!

Cyflymodd amser; aeth un dydd ar ôl y llall i mewn i niwl amser. Sychodd y ffynnon ar y ffriddoedd a diflannodd un o'r nentydd tan ddaear, fel y gwnâi pob haf sych. Roedd Gwyn wedi prynu teclyn newydd i dorri'r gwair, gyda llafn hir; llusgwyd hwnnw y tu ôl i'r tractor. Am unwaith, doedd dim rhaid i ni boeni am y tywydd ac roedd Gwyn yn awyddus i ni gael dipyn o'r cnwd i mewn cyn iddo fynd yn fras. Cafwyd tridiau o ysbaid cyn dechrau, ac aeth fy nychymyg ar ddisberod – i fyny'r allt tua'r mynydd, wrth gwrs. Roedd craill wedi bod yno'n sbecian; gwyddwn fod nifer o'r bechgyn wedi stelcian ar hyd y lôn werdd o Hendre Blaenau i fyny i'r mynydd, ac yna wedi cuddio yn y grug. Clywais ddigon o gilchwerthin a sibrwd slei, ond ychydig iawn o wybodaeth bendant. Doeddwn i ddim wedi bod yn agos i'r lle, a gwyddwn na allwn ymddangos yno heb reswm da. Tresmasu fyddai hynny. Ond roeddwn i ar dân isio gweld be oedd yn mynd ymlaen yn Hafod yr Haul. Roedd y chwant i'w gweld nhw yn cnoi fy nhu mewn i erbyn hynny. Arhosais am gyfle...

Un prynhawn aeth Gwyn i'r maes, i dorri gwanaf ar hyd y dalar; dymunai wneud synnwyr o'r teclyn cyn dechrau ar y cynhaeaf. Roedd o'n ofnus braidd, gan nad oedd yn fawr o giamstar â'r sbaner. Elgan oedd y peiriannydd yn Nolfrwynog.

Bu anffawd cyn iddo fynd hanner ffordd ar hyd y cae, a bu cryn dipyn o regi a bytheirio. Pan orffennais fy ngwaith roedd o'n dal wrthi'n procio, yn taro, ac yn cyflwyno geirfa hollol newydd i ddolydd Dolfrwynog. Gwelais fy nghyfle – tynnais fy ffedog ac es i fyny'r allt fel wiwer yn dringo coeden; yna es ymlaen i'r giât mynydd â'm calon yn curo. Roeddwn i'n teimlo fel hogan ddrwg, ac yn wir dyna be oeddwn i. Edrychais o'm cwmpas gyda phob cam, a llechais y tu ôl i rai o'r cerrig mawrion, ond welais i neb.

Pan gyrhaeddais y gorwel uwchben Hafod yr Haul, disgynnais ar fy mhedwar i chwilio am loches i guddio – yna gwelais bant bach mwsoglyd rhwng ysgubau o rug hir. Cropiais i mewn iddo a gorwedd ar fy mol; gwelwn bob modfedd o'r tyddyn, ond er syllu a syllu, ni welwn ddim byd yn symud, heblaw am ambell ddafad yn crwydro wrth bori.

Clustfeiniais yn astud a chlywais synau bach. Clinc a chlonc llestri, pwt o gân, llais Elgan yn codi drwy'r coed fel mwg, a chwerthiniad nwyfus merch. Rhois fy mhen i lawr ar fy mreichiau, yn llawn teimlad. Gall chwerthiniad rhywun arall swnio cymaint hapusach na'ch chwerthiniad eich hun rywsut.

Pan godais fy mhen roedd y ddrama wedi newid cywair. Erbyn hyn roedd y ferch wedi ymadael â'i chuddfan o dan y dail ac roedd yn rhedeg ar wib tua'r afon. Cyrhaeddodd y slabyn mawr wrth y pwll du: yna mewn un ystum ddeheuig, roedd hi wedi diosg y wisg werdd ac wedi neidio i'r dŵr yn noethlymun.

Daeth gwaedd a sgrech wrth iddi daro'r dŵr oer, yna chwarddodd yn blentynnaidd uchel. Erbyn hyn, roeddwn wedi dechrau dod i arfer â'i chwerthiniad, roedd o'n egnïol ac yn fyrlymus. Ar ôl corddi'r dŵr am ysbaid, distawodd y ferch ac aeth popeth yn dawel eto. Daeth tincian o gyfeiriad y coed, ac ymddangosodd Elgan gyda phentwr o lestri yn ei ddwylo. Cerddodd yn hamddenol braf i lawr at yr afon ac yna penliniodd wrth y lan a golchi'r llestri te. Doeddwn i erioed wedi ei weld yn gwneud gwaith tŷ o'r blaen, roeddwn wedi fy rhyfeddu. Yna, yn llawer iawn arafach na'r ferch, aeth at y maen gwastad a diosg ei ddillad. Safodd ar y graig am ennyd â'i freichiau wedi'u codi fel aderyn ar fin esgyn o'r ddaear – yna plymiodd yntau i mewn i'r dyfroedd. Trawodd yr ergyd ryw garreg ateb y tu draw i'r tyddyn ac fe'i clywais yn atseinio. Yna, ar ôl chwarae yn y dŵr am dipyn, closiodd y ddau a gwelais eu breichiau'n clymu o amgylch ei gilydd. Gorffwysodd y ferch ei phen ar ysgwydd Elgan; roedd ei gwallt wedi tywyllu yn y dŵr ac edrychai fel dyfrgi. Fel yna y buont am chwarter awr mae'n siŵr, yn arnofio'n araf yn y dŵr – glin wrth lin, clun wrth glun, croen wrth groen, calon wrth galon.

Teimlais eu hagosatrwydd fel poen bach yn fy mrest; fel yr angina hwnnw sy'n perthyn i hiraeth a melancoli. Nid cenfigen na chasineb na malais oedd hyn; na, rhywbeth arall. Serch cnawdol oedd rhwng Huw a minnau, ond am yr hyn a welwn o flaen fy llygaid y dyheuwn amdano.

Dawns y cariadon: y cortyn rhyngddynt yn dynn, yna'n llac. Cusan, brathiad. Cipio ac yna gollwng. Cyffyrddiad dau enaid yn y gofod mawr.

Syllais arnynt fel plentyn yn gwylio oedolion yn mynd i hwyl mewn parti – ni wyddwn yn union beth oedd yn digwydd, ond roeddwn i am brofi'r hwyl fy hun.

Deallais bryd hynny mai math o ddirgelwch ydyw cariad. Dau yn rhannu cyfrinach. Neges mewn inc anweledig. Drôr gudd efo dau oriad.

Gwyliais Elgan, a rhyfeddais. Dyma ddyn y wlad oedd wedi gweithio'r tir drwy gydol ei oes. Dyn yn gwisgo cap ffermwr a welingtons, dyn â baw a brych ar ei ddwylo. Ond yn awr, am y tro cyntaf yn ei fywyd, câi'r gwladwr ag ôl creithiau'r ddraenen ddu ar ei freichiau fod yn ddewin. Os dywedai *abracadabra*, deuai merch brydferth i'r fro. Os dywedai *agor sesame*, edrychai'r ferch arno efo llygaid llawn cariad. Os dywedai *alacasam*, byddai'n stopio'r cloc – byddai'n creu cyfnod perffaith, cocŵn o amser lle câi'r cariadon fyw y tu hwnt i reolau'r byd meidrol. Y nhw yn unig oedd yn byw yn ystod y cyfnod hwnnw. Doedd neb arall yn bod. Edrychais arnynt yn eu paradwys, mor bell oddi wrthyf â dau ffigwr bach hudolus mewn glôb eira.

Trois oddi wrthynt a dihengais adref ar hyd y lôn goed, rhag i Gwyn weld bwgan – dyna sut y teimlwn i, doedd dim chwaneg o deimlad ar ôl ynof.

Ond do, es i'n ôl fwy nag unwaith. Tynnwyd fi yno gan y magnet mawr. Es yno i gosi a chrafu'r graith, dro ar ôl tro. Ac roedd eraill yno hefyd, teimlwn eu presenoldeb yng nghuddfannau'r grug. Llygaid yn gwylio, llygaid pobl a adwaenwn yn dda, pobl y byddwn yn eu cyfarch yn y pentref – 'helo, sut 'da chi heddiw, tydi'n braf?' Pobl fel fi. Pobl a edrychai ar gariad yn yr un modd ag edrychent ar greadur diarth, ecsotig yn y sw. Roeddynt hwythau wedi'u cyfareddu gan y stori hefyd. Ond be ddigwyddai nesaf?

A oeddem ni'n dyst i ddiwedd y dechrau, ynte dechrau'r diwedd? Amser yn unig a benderfynai hynny.

Pennod 7

PAN GERDDAIS i lawr o'r tŵr amser cinio heddiw, clywais ei lais yn galw arnaf o gyfeiriad y deml ym mhen draw'r ardd. Chwarddodd Elis pan ddywedais 'y deml' gan mai 'y cwt' yw ei enw swyddogol. Ffoli ydyw mewn gwirionedd, castell pren a saif yn dyst i hiwmor dychanol y dyn. Herian yn ddistaw wnâi Elis, heb bron i neb ddeall.

Roedd o'n eistedd o flaen cwpan o de oer, yn ei ystum arferol – efo'i droed dde ar ei lin chwith â'i fodiau o dan ei ên; rhoddai ei fysedd ar flaen ei drwyn, fel pe bai'n gweddïo. Roedd golwg wedi blino arno; gwelwn fod y croen o dan ei lygaid yn frown ddu. Edrychai'n flêr, hefyd – nid oedd wedi cribo ei wallt.

Edrychodd arna i'n graff, ac yna dywedodd:

'Rwyt ti'n edrych yn wahanol, be ti 'di wneud, dywed?'

Dyna enghraifft berffaith o'i herian, roedd o'n gwybod yn iawn 'mod i wedi torri fy ngwallt yn fyrrach o lawer. Doeddwn i ddim yn bicsi bert, ond roedd yr amser wedi dod i mi edrych fy oed. Gall gwallt hir ar ddynes ganol oed edrych yn anweddus. Tua'r un amser yr aiff *ti* yn *chi*, daw yr amser i newid steil. Buaswn i'n *Auntie Eirlys* i'r plantos adre yn y cwm erbyn hyn, fysa swildod yn gwahardd i mi rhoi *smalls* ar y lein.

Gwenodd Elis: 'Neis iawn wir, mae o'n dy siwtio di. Rwyt ti'n edrych fel hogan ifanc eto.'

Gwelwn y miri yn ei lygaid, a bu bron iddo gael llond ceg.

'Na wir, mae o'n edrych yn wych. Tyrd, ista lawr. Dwi isio

gofyn rhywbeth i ti.' Eisteddais, ciliais i ddyfnderoedd fy nghôt a gwthiais fy nwylo'n ddwfn i'w phocedi. Parhâi y wên ar ei wyneb.

'Dwi isio mynd ar antur cyn yr op. Siwrne fach dros y dŵr. Ddoi di efo fi?'

'Dros y dŵr – be, i wlad dramor? Does gen i'm pasport!'

'Na, na! I Enlli!'

Enlli? Oedd o isio mynd ar bererindod cyn y llawdriniaeth? I weddïo, hwyrach – er nad oedd o'n mynd i unrhyw gapel, hyd y gwyddwn i.

'Isio dweud pader wyt ti?'

'Eirlys, rwyt ti'n rêl twpsyn ar adegau. Naci siŵr. Isio gweld rhywle newydd ydw i. Dw i erioed wedi bod ar Enlli ac mi fuaswn i'n licio gweld Cymru o'r môr, i weld os ydi'r wlad yn edrych yn wahanol. I weld os ydi hi'n *teimlo'n* wahanol. Ddoi di?'

Estynnais fy llaw a chodais ei baned oer.

'Ti'm yn meindio, nag wyt?' Crychodd ei wyneb.

'Te oer? Ych a fi!'

Llyncais y te, a dywedais: 'Dof.'

Yna codais y llestri a dechreuais gerdded am y tŷ. Roedd fy mhen ar dân. Antur ar y môr! Cawn innau weld Cymru o'r môr hefyd, ac efallai cawn ddod i nabod Elis yn well. Trois tuag ato a gofynnais: 'Pryd?'

Roedd o'n wargam erbyn hyn â'i ben yn ei freichiau. Cododd ei wyneb tuag ata i ac roedd o'n wyn fel y galchen.

'Yn fuan iawn. Rydw i wedi cael gwybod pryd fydd dyddiad yr op.'

★★★

Daeth yr haf bythgofiadwy hwnnw i'w anterth ym mis Awst. Roeddem yn frown fel brodorion y dwyrain pell, ac wedi straffaglu i orffen y cneifio a'r cynhaeaf gwair. Roedd Gwyn wedi meistroli'r teclyn newydd, ac aeth ymlaen i dorri gwair nifer o ffermwyr eraill hefyd. Talwyd y pwyth yn ôl iddo, yn yr hen draddodiad – daeth ein cymdogion acw i hel y cnwd i'r helm. Cyn dyfodiad y peiriannau newydd, yr arferiad oedd i gymdogion helpu ei gilydd, yn arbennig pan fyddai'r tywydd yn mynd yn drech. Ond y flwyddyn honno, cafwyd cnwd helaeth, er bod y gwair braidd yn fras. Roedd y tir yn ofnadwy o sych erbyn hynny; teimlwn ar adegau fel un o hen ieir Dolfrwynog yn mynd ati'n ddryslyd i ymdrabaeddu yn y pant llychlyd wrth ddrws y stabal. Roedd y ffynnon yn Nolfrwynog yn anwadal iawn ar adegau.

Cyrhaeddodd mis Medi, a chawsom hoe fach cyn y cynhaeaf ŷd. Erbyn hynny roedd yr afalau'n drwm ar y coed, a bûm wrthi'n hel cirin yn y gadlas i wneud jam. Er bod y caeau wedi dechrau crino, roedd natur yn doreithiog yn y cloddiau. Casglais y cyfoeth hwn ac ymhen dim roedd silffoedd y ffermdy yn llawn dop o jamiau a picls a siytni.

Ond eto roedd digon o amser ar ôl, oedd, roedd digon o amser ar ôl i mi gael mynd i wylio'r cariadon. Cyfleoedd achlysurol, pan gawn ddiosg yr hen ffedog. Awn i lechwylio yn y grug, i weu ffantasi, awn i grafu hen graith, i ddiodde'r poen perffaith a brofa'r hagr wrth wylio'r prydferth.

Syllwn i lawr ar yr hen hafod, cartref yr hynafiaid gynt – pobl a waedai'r un hanes â Gwyn ac Elgan. Gwelwn dŷ bach gwyn â tho sinc a hen simdde haearn; to crychlyd coch â dwy didraff – edrychent fel gwallt merch wedi'i blethu – yn angori'r to i'r muriau trwchus. Gwelwn foncen werdd a llwyn o goed yn sefyll fel galarwyr mewn angladd; gwelwn afon a phwll mawr tywyll; gwelwn gaeau bach brwynog yn ymestyn tua'r gorwel ond yr hyn a'm hudai yno oedd yr hyn na allwn ei weld, a'r hyn na allwn ei deimlo.

Es yno i alaru hefyd. Rhoir hyn a hyn o gariad i ni ar y dechrau, gwelaf ef fel llyn perffaith ym mro uchel yr enaid. Cyflenwad pur – ond defnyddir ef o dipyn i beth i ddiwallu ein hanghenion dyddiol. Ac yna, un diwrnod, does dim ar ôl.

Gwnes sawl ymgais i osgoi mynd. Pan gyrhaeddwn giât y mynydd, eisteddwn ar yr clawdd yn swp simsan. Clymwyd fi i'r fan gan euogrwydd. Ond yn araf, araf, awn ymlaen…

Dywedwn gelwydd bach gwyn wrthyf fi fy hun. Pe baent yn gwneud rhywbeth personol iawn, yna byddwn yn gadael. Gwelwn nhw'n noeth ar adegau, yn cyboli yn y pwll mawr neu'n rhedeg ar ôl ei gilydd ymysg y brwyn, neu hyd yn oed yn cysgu gyda'i gilydd ar y slaban fawr wrth ochr y pwll, ond pa ots am hynny. Chwaraeent fel plant, chwaraeent fel y chwaraeais i ag Elgan ar lan yr afon flynyddoedd ynghynt. Ni fyddai unrhyw beth rhywiol yn digwydd ac yn aml iawn ni welwn flewyn yn styrio ar dir yr hafod. A'r gwir yw doedd gen i ddim isio gweld gormod. Weithiau clywn rywun yn canu o bell, deuai alaw ar y gwynt fel pe bai'r tylwyth teg yn gloddesta rhywle, ond hwyrach bod fy nychymyg yn creu'r miwsig fel math o gefndir i'r rhamant.

Be welai'r ysbiwyr eraill yn y grug? Dim byd ond dau greadur bach byw yn chwarae, yn cysgu ac yn cydorwedd. Dau gariad ymysg miloedd. Anadlent, siaradent, chwarddent fel pawb arall ar y ddaear. Gwelais eu cyrff bach ymhell i ffwrdd yn troi o fod yn wyn i frown; troesant o fod yn Gymry bach cyffredin i fod yn debyg i frodorion y coedwigoedd pell, yn hela pob cusan â bwa a saeth.

Gwyn oedd yr unig un oedd yn deall y sefyllfa. A'r rhyfeddodd oedd mai fo oedd yr unig un nad oedd wedi bod yno yn eu gwylio – hyd y gwyddwn i, beth bynnag. Dyna eironi, yndê! Roedd o wedi clywed bod nifer wedi ymweld â'r theatr uwchben, a dywedodd wrthyf un diwrnod, dros ein paned foreol:

'Pam na wnaiff pawb adael llonydd iddyn nhw, wir Dduw! Maen nhw'n ifanc ac yn hapus. Mae hi'n braf meddwl bod nhw'n cael amser hyfryd!'

Dyna sut gwelai Gwyn bethau. Roedd Elgan a'r ferch wedi deffro ym mharadwys ac yno, ar ôl canfod cornel fach ddistaw iddynt eu hunain, roeddent wedi stopio'r cloc ac wedi plethu eu pum synnwyr ynghyd i wneud deg. Roedd cyffur cariad wedi cyflwyno lliwiau newydd iddynt; gwelsant bopeth o'r newydd. Daeth darlun i'm meddwl o Elgan yn ymestyn ei fysedd i deimlo'r byd o'r newydd: rhisgl coeden, wyneb mur y bwthyn, croen y ferch – byddai popeth yn teimlo'n wahanol. Byddai llais a sawr y gwynt yn fwynach, a dail y coed yn sibrwd mewn iaith wahanol.

O'r funud honno, gwelwn innau y cyfan o'r newydd hefyd. Codais ac es i'r gegin i olchi'r llestri. Clywn Gwyn yn pesychu ar ôl tanio sigarét y tu hwnt i'r mur a synhwyrais fod y smocio wedi dechrau dweud ar ei frest; roedd o'n heneiddio fel finnau. Roeddem ein dau yn cropian yn agosach at farwolaeth. Clywais leisiau'r hen bobl gynt yn galw ar y gwynt, yn ein hannog ni i fyw bywyd i'r eithaf; teimlais yn dynn ac yn drist, a chollais ddeigryn.

Yna gwenais a sychais fy llygaid, a phenderfynu nad awn i'r hafod i weld y ddau byth eto. Roeddwn wedi gweld digon, bellach.

Tresmaswr oeddwn i. Teimlwn fel pe bai'r ddau ohonynt wedi edrych i fyny o'r llechen wrth y pwll – wedi syllu i'r union fan lle roeddwn i'n llechu yn y grug, ac wedi dweud wrthyf yn fud: *Dos, Eirlys. Rwyt ti wedi syllu arnon ni, rwyt ti wedi gweld popeth sydd i'w weld, nawr cer yn ôl i Ddolfrwynog. Gad lonydd i ni, ein hamser ni a'n lle ni yw hwn. Ein cartref ni ydi hwn, paid ag ymyrryd eto – a dos â phawb arall o 'ma hefyd. Rhown wadd i chi gyd yma pan ddaw'r amser.*

Ni welais nhw eto tan y diwrnod hwnnw pan aeth pawb yn y cwm i Hafod yr Haul.

***

Roedd yr haf yn dirwyn i ben. Collodd y bore bach ei burdeb crisialaidd; a phan ddaeth toriad y dydd – yn hwyrach bob bore – ogleuwn nychdod natur yn y caeau a'r cloddiau.

Aeth llawer o'r blodau yn ôl i'w cuddfannau dirgel; ac fel y cwm ei hun, teimlwn ryw flinder trwm yn nydd-droi o amgylch fy nghorff, fel iorwg yn dechrau mygu coeden. Yn yr hwyrnos gwelid Dic Deryn yn chwarae efo'r torts a roddwyd iddo un Dolig. Roedd posib dewis golau coch a gwyrdd yn ogystal â gwyn; eisteddai Dic ar risiau'r llofft stabal yn gyrru negeseuon i'r planedau gan ddefnyddio ei Morse Code unigryw ei hun. Roedd rhywun wedi ei ddarbwyllo fod posib cysylltu â thrigolion Mars a Fenws, a gwnâi Dic bob ymdrech i wneud ffrindiau newydd. Digon tebyg y byddai anrheg yn barod iddynt pe byddent yn dod draw am baned.

Disgynnodd mantell lwyd dros y tir, pallodd y lliwiau ac oerodd y gwynt. Aeth yr hanesion am Elgan a'r ferch mor brin fel y bu bron i ni anghofio amdanynt. Roedd hyd yn oed Siani High Heels wedi newid cywair. Nid Elgan a'r ferch oedd testun ei llith erbyn hynny, ond y fi. Yn gynt, gadewid llonydd i Huw a minnau, wn i ddim pam, er ei bod yn gwybod am ein carwriaeth o'r dechrau. Ond daeth newid. Clywsom fod

Griffiths y twrna wedi canfod perchennog Llys y Gwynt – y mab afradlon a fu'n crwydro drwy'r Amerig. Nid oedd hwnnw yn dymuno ffermio eto, ond roedd o'n barod i osod y tŷ a'r tir. Cynigwyd y ddau i Huw, ac roedd o'n awyddus i dderbyn.

Gofynnodd Huw i mi ei briodi. Caem setlo yn Llys y Gwynt a dechrau teulu. Roedd o am fynd at y gweinidog i wneud trefniadau. Roedd o eisiau dyddiad pendant, roedd o wedi blino aros. Ond petrusais, gohiriais fy ateb ac aeth y dyddiau'n wythnos, a'r wythnosau'n fis. Nid oeddwn yn ei garu. Nid oeddwn eisiau'i briodi.

Clywodd Siani High Iccls am hyn – mae'n rhaid fod Huw wedi dweud ei gŵyn wrth rywun – ac yna teimlais innau lafn ei thafod. Bu'r hen sguthan wrthi'n pardduo fy enw i ar hyd a lled y fro, roeddwn i'n waeth na hwren. Un nos Fercher yn y llofft stabal aeth hi'n ffrae ffyrnig rhwng Huw a finnau – ac yna trawodd fi. Gwylltiodd, dywedodd y byddai'n disgwyl ateb pendant gennyf erbyn diwedd mis Hydref. Safodd wrth y drws am yn hir cyn ymadael, gyda'r gliced yn ei law a'i lygaid yn torri twll ynof. Pan gaeodd y drws yn glep, gwyddwn fod y cyfan yn dod i ben. Gorweddais ar y gwely am yn hir. Codais, gwisgais a thaniais sigarét wrth edrych arna i fy hun yn y drych. Roedd fy ngwallt dros bob man ac roedd cwys y lipstic coch wedi ymestyn o fy ngheg hyd at fy moch chwith. Sylwn fod y llygad dde yn dechrau cau; mi fyddai'n ddu erbyn y bore. Doedd dim llawer o ots gen i. Syllais yn y drych, taniais sigarét arall. Collwn y llofft stabal yn fwy na Huw. Collwn y profiad o fod yn berson gwahanol. Eirlys y forwyn fach ddistaw, Eirlys y *vamp*... roeddwn i wedi mwynhau bod yn dipyn o jadan. Gwenais arnaf fi fy hun yn y drych a sibrydais, yn araf: *jadan*. Byddwn yn colli llwch a difaterwch y llofft stabal; y drych, y glaw ar y to, ysbrydion amyneddgar yr hen geffylau oddi tanom, a blas y lipstic ar fy ngwefus. Daeth rhywbeth i'm meddwl: doedd hi'n rhyfedd fod y lle a'r amser mor bwysig ym materion serch? Bu'r llofft stabal yn llwyfan dros dro i anterliwt ein carwriaeth. Ond ddigwyddodd ddim byd o bwys yno.

Paratois i ymadael â'r lle am y tro olaf. Rhois y sgarff werdd dros fy mhen, mor isel â phosib dros fy llygad i guddio'r clais. Sefais wrth y drws, i edrych ar fy wyneb yn y drych – i ffarwelio â'r Eirlys arall. Fe gollwn hithau hefyd.

Edrychodd arnaf o'r drych. Symudodd ei gwefusau.

'Be ŵyr neb am gariad, e?' meddai'n ddistaw.

Yna rhois winc olaf arni, ac es oddi yno.

***

Gyda chymorth ein cymdogion, cafwyd y cnwd olaf i mewn i'r sgubor. Roedd yr ŷd yn barod yn gynnar iawn a phan ddaeth beindar Goronwy Plas Mattw i'r maes roedd bleiniad y ceirch wedi dechrau disgyn. Ond cawsom gnwd ardderchog, er gwaetha hynny. Ac yn ôl traddodiad, fe wnaeth John Cyffin ddoli wellt fach berffaith i ni osod dros y rhiniog, i ddathlu'r achlysur.

Trodd y dail eu lliw yn araf a disgynnodd rhai i'r ddaear; arafodd twf y borfa a throdd y bras dyfiant ar ochrau'r ffyrdd yn ddryswch difywyd. Deuai'r plant yn ôl o'r ysgol gyda'u cegau a'u bysedd yn ddu a choch ar ôl bod yn gwledda ar y mefus a'r mwyar duon ar y ffordd adref. Gwyddem fod yr hydref yn dechrau gafael, a pharatowyd am y tywydd drwg i ddod. Tacluswyd yr adeiladau a phrysurodd Gwyn i werthu'r ŵyn yn y mart wythnosol, gan ddewis goreuon yr ŵyn benyw i wella a pharhau'r stoc. Gwerthwyd cyfran o'r hen ddefaid a dewiswyd y goreuon o'r ŵyn gwrw i fynd i'r sêl meheryn.

Daeth mis Hydref yn ei dro, ac ymhen dim byddai'n amser i ffermwyr y fro ymgynnull i hel y defaid o'r mynydd am y gaeaf; gwnaent hyn i gyd efo'i gilydd ar ein hochr ni i'r cwm, i hwyluso'r gwaith, ac yna câi'r preiddiau eu didoli yn y corlannau wrth giât fynydd Dolfrwynog. Byddai lot o herian a lolian yn ystod yr helfa, edrychwn ymlaen ati bob blwyddyn. Ac roedd gwestai arbennig y flwyddyn honno – Gaynor o'r papur newydd. Roedd hi wedi dod draw unwaith eto, i sgwennu erthygl ynghylch 'bywyd ar fferm yn ucheldir y gogledd'. Roedd hi wedi sgwennu erthygl am y cynhaeaf gwair hefyd, erthygl a lenwai bron i dudalen yn y *Western Mail*. Tybiwn ei bod hi'n ffureta am fwy o ddeunydd i greu stori am Elgan a'r ferch.

Wythnos cyn yr helfa, digwyddodd rhywbeth annisgwyl. Roeddem ni bron iawn wedi anghofio am Elgan a'r ferch, ond un diwrnod daethant i ymweld â phawb yn y fro – pob un tŷ yn y pentref a phob fferm yn y cwm, un ar ôl y llall. Gan ei bod hi'n ddydd Llun, roedd Gwyn yn y mart ac roeddwn innau wedi bod yn golchi. Roeddwn wrthi'n rhoi dillad ar y lein pan sylwais fod cysgod wedi cyrraedd cornel fy llygad.

'Rargol, Elgan – rhoist ti fraw i mi!' dywedais innau, gan smwddio fy ffedog i lawr gyda'm dwylo. Roeddent ill dau ar gefn y stalwyn du, gydag Elgan ar y blaen.

Gwisgai Elgan het ddu, tebyg i het cowboi – un reit syml, heb lawer o gantel, crys siec gwyrdd a gwyn, trowsus glas tywyll, a sgidiau uchel o ledr brown golau. Bu bron i mi ofyn iddo beth ddigwyddodd i'r cap glas, ond brathais fy nhafod.

Gwenodd arna i. 'Sut wyt ti Eirlys, ers talwm?'

'Wel wir, Elgan, rwyt ti wedi bod yn ddiarth iawn. Rwyt ti'n edrych yn dda. Gymerwch chi banad?'

Teimlwn braidd yn hurt. Panad? Ond be arall ddywedwn i?

'Na, wir, Eirlys, does dim digon o amser – rydan ni am fynd

rownd y cwm i weld pawb, yli. Sut mae Anwen? Ydi hi'n cadw'n iawn? Mae Gwyn yn dweud dy fod ti wedi bod yn gefn iddo, diolch yn fawr i ti.'

Gafaelais yn ffrwyn y ceffyl a dywedais:

'Gwranda Elgan, dydw i ddim wedi dy weld ti ers misoedd, tyrd i gael panad. Wnaiff o ddim cymryd eiliad. Dewch o'na!'

Edrychodd i fyw fy llygad a gwelwn wên slei yn dod i'w wep. Gwyddai'n iawn 'mod i wedi bod yn sbio arnynt ond ddywedodd o ddim byd. Trodd at y ferch a gwenodd hithau cyn amneidio'i chadarnhad.

Daethant i eistedd yn y gegin, wrth y bwrdd mawr, a gwnes baned iddynt. Dim ond sŵn y llestri'n tincial, y cloc yn tipian a'r tegell yn mwmian oedd i'w glywed. Nid oedd Elgan yn dymuno trafod yr un hen bynciau, roedd hynny'n amlwg. Ni ddywedodd ddim am y tywydd, nac am brisiau ŵyn, na chlecs y pentref. Ni chlywyd y mân siarad dibwys arferol a lenwai'r ystafell ers bore oes. Buasai'r olygfa y diwrnod hwnnw wedi taro'r hen bobl yn fud. Yn y cyfamser, cefais gyfle i edrych arnynt yn iawn.

Gwelwn yn llygaid Elgan ei fod yn hapus a dibryder. A'r het ddu wedi ei thynnu oddi ar ei ben, gwelwn fod rhywun wedi tocio'i wallt yn fyr iawn ac roedd o wedi siafio'n glos.

Ond am y ferch, roedd gen i ofn edrych arni, bron. Efallai mai cywilydd oedd wrth wraidd hynny. Cywilydd 'mod i wedi bod yn synhwyro o'i chwmpas hi gyhyd. Sylwais fod fy nwylo'n crynu, roedd fy llwnc yn boeth ac yn sych. Teimlwn ryw fath o arswyd; wedi'r cyfan, roedd hi wedi cyrraedd statws chwedlonol, doeddwn i'm yn siŵr os oedd hi'n berson go iawn, ynte…

Roedd hi yn y wisg werdd o hyd ond sylwais ar unwaith ei bod wedi gwisgo'n denau. Roedd rhan o'r godre wedi ymrafael ac roedd y gwyrdd wedi pylu yma a thraw. Roedd y sidan wedi gwisgo'n denau iawn. Gwelwn ei ffurf o dan y defnydd – roedd hi bron yn noeth!

Er hynny, roedd hi'n ddel iawn, gyda'i gwallt cyrliog a'i chroen lliw mêl; roedd yr haul wedi acennu'n frychni ar ei hwyneb ac edrychai'n hollol naturiol. Gall ambell i ferch edrych yn brydferth dim ots be rowch chi arnyn nhw – carpiau, sach datws neu'n gwisgo naill ai hen welingtons tyllog neu *high heels* newydd sbon. Byddan nhw'n dal i edrych fel model ar lwyfan sioe ffasiwn ym Mharis. Ni wisgai golur ac nid oedd gemwaith arni heblaw am gadwen arian seml. Ac yn yr un modd ag Elgan, edrychai'n fodlon ac yn naturiol, fel ewig fach newydd gamu o'r goedwig. Yno yn y gegin, ar ôl cymryd ffurf merch, Melangell ydoedd – ysbryd o'r cynfyd wedi dychwelyd am ddiwrnod i achub enaid mewn trybini.

Aeth ton o ddicter drosof. Tra oeddwn i'n slafio o fore gwyn tan nos, roeddent hwythau'n mwynhau un parti hir ar y mynydd. Tra oeddwn i'n chwysu ac yn llafurio, a thra oedd fy ieuenctid yn cilio dros y gorwel, roeddent hwy yn gorweddian yn y grug neu'n diogi yn yr afon.

Bu bron i mi ddweud rhywbeth chwerw; ac yna edrychais ar Elgan yn eistedd yno, yn ei hen gartref. Distawodd fy nghalon. Edrychais i'w lygaid am yn hir, a gwelais yr un hen Elgan yn edrych yn ôl; yr Elgan bach hwnnw y bûm yn chwarae gydag ef yn yr afon, yr un Elgan y bu bron i mi ei gusanu yn y *dairy* un bore.

Edrychodd yntau i mewn i fy enaid innau, a chwarddodd ei lygaid. Ia, yr un dyn oedd o, yr Elgan a ddeuai'n ddistaw o'r cysgodion i'm goglais pan oeddwn i'n codi rhywbeth â'm dwylaw i ben y ddreser; yr un Elgan a luniai ddwyfron merch yn y menyn â blaen ei gyllell, i achosi embaras i mi.

Ond am y ferch, ni allwn edrych i'w llygaid am yn hir. Roedd hynny fel edrych i mewn i'r haul. Ar yr un pryd, tonnai math o rym trydanol o'i chyfeiriad hi; teimlwn fel pe bawn i'n sefyll yng nghanol afon lydan, gynnes, hyd at fy nghanol. Teimlwn y dŵr yn llifo yn erbyn fy nghorff; gallwn bwyso arno, gallwn orffwys arno ond gwyddwn hefyd y gallai grym y dŵr newid mewn eiliad; gallai afael ynof a'm sgubo i o'r neilltu fel deilen.

Digon tebyg mai fy nychymyg a greodd hyn oll wrth gwrs. Yr hyn welwn i mewn gwirionedd oedd merch ifanc ddiniwed ym mlodau ei dyddiau. Merch ifanc na fynnai ddweud bw na be wrth neb yn y byd. Llances swil yn awchu i fynd o'na, i ffoi oddi wrth yr hen wrach chwyslyd, flinedig o'i blaen.

Rhoddais y llestri te ar y bwrdd a tholltais baned i bawb. Tic toc meddai'r cloc, ond ddywedodd y ferch ddim gair. Buom yn eistedd yno'n llymeitian ac yn edrych ar y lliain bwrdd am gryn amser.

Ymhen tipyn, aeth Elgan i'w boced frest ac estyn cerdyn. Fe'i gosododd ar y bwrdd, ac yna'i wthio'n araf i'm cyfeiriad â'i fys.

'Dwi'n gobeithio y medri di ddod, Eirlys,' meddai'n ddistaw. 'Ac mi fuaswn i'n falch iawn pe byddet ti'n medru gofalu am y trefniadau. Hwda, dyma ddigon o bres i ti gael prynu'r bwyd a'i baratoi. Dos i ofyn cymorth os mynni di.'

Roeddwn i'n dal wrthi'n trio deall be oedd yn digwydd pan wthiodd o swp o bapurau punt i'm llaw.

'Mi faswn i'n ddiolchgar i ti am byth.'

Gollyngodd yr arian ar y bwrdd, a syllais ar y papurau punt yn raddol symud yn ôl i'w siâp, ar ôl cael eu gwasgu. Chefais i ddim amser i ateb. Cododd y ddau a throi am y drws. Pylodd y golau wrth i'r ddau sefyll ar y trothwy.

'Hwyl i ti, Eirlys. A diolch am bopeth.'

Yna goleuodd y stafell eto, a chlywais ffrwyn y stalwyn yn tincial.

Ar ôl ysbaid daeth mwy o ddistawrwydd i bwyso ar y distawrwydd oedd yno'n barod. Daliais i edrych ar yr arian: roedd ambell nodyn yn dal i ymledu; swynwyd fi gan bob symudiad araf, teimlwn fel cwningen yn edrych ar ddawns y carlwm.

Yna codais y gwahoddiad: cerdyn gwyn oedd o â border bach gwyrdd o'i amgylch. Hi wnaeth o mae'n rhaid gan fod golwg fenywaidd ar y sgwennu ac roedd rhywun wedi llunio darlun del o dusw o Gennin Pedr yn y gornel hefyd. Darllenais y geiriau ac yna collais fy ngafael arno a syrthiodd y gwahoddiad wyneb i waered ar y bwrdd. Pan godais o roedd blobyn o jam coch wedi glynu wrtho – nid oeddwn wedi sychu'r bwrdd yn iawn ar ôl brecwast, mae'n rhaid. Syllais ar y sgwennu a syllais ar y jam coch; yna teimlais y dagrau. Pe bai rhywun wedi edrych drwy'r ffenest byddent wedi gweld dynes yn ei hoed a'i hamser gyda'i phen i lawr, a'i hysgwyddau'n symud i gyfeiliant yr wylo.

Tawelais ymhen amser, es i'r sinc i olchi fy wyneb ac i dacluso. Eisteddais eto a cheryddais fy hun.

'Does 'na ddim ffŵl fel hen ffŵl,' meddwn.

Chwythais fy nhrwyn, ac ailddarllenais y cerdyn:

Fe'ch gwahoddir i
Hafod yr Haul
Noson Galan Gaeaf
am saith yr hwyr.
Bydd lluniaeth ac adloniant.

Cliriais a golchais y pethau te, ond wrth ymestyn i roi'r jwg llefrith ar ei fachyn collais fy ngafael arno a thorrodd yn deilchion ar y llawr. Wrth i mi glirio'r llanast, rhwygais groen fy mys. Aeth y briw yn wyn, yna llifodd y gwaed dros fy ffedog. Dechreuais wylo unwaith eto. Roeddwn i'n dal wrthi'n igian pan gyrhaeddodd y postmon. Roedd hwnnw'n daer isio dweud wrthyf am y gwahoddiad a gafodd yntau hefyd i'r wledd. Ond rhoddodd gymorth i mi roddi lint a bandej ar y bys. Mae'r graith dal yno – atgof beunyddiol o ddiwrnod eithriadol yng Nghwm y Blodau.

***

Diflannodd nerth yr haul yn araf, collodd ein brenin ei hyder trahaus. Daeth ansicrwydd i'r coed; llesgaodd y dail, gan sibrwd yn groch pan ddeuai gwynt y nos i'w bygwth. Daeth salwch i wely'r byd; gwelwodd y cloddiau a'r borfa, trodd yr awyr yn las a gwyn dolurus. Gwyddem fod natur yn newynu. Daeth blaengad y gaeaf i udo yn y coed; be arall wnâi'r gwenoliaid ond cymryd braw a ffoi? Gwysiodd y nos ei chysgodion eto. Breuddwyd oedd yr haf bellach.

Roedd rhywbeth yn dirwyn i ben yn Hafod yr Haul hefyd. Digwyddodd nifer o bethau rhyfedd yn y pythefnos cyn Noson Galan Gaeaf. Cyflymodd y miwsig, fel petai. Pan ddaeth Gwyn yn ôl o'r mart un dydd Llun roedd y Land Rover wedi'i lwytho'n uchel â phlanciau coed ac aeth ar ei union i Hafod yr Haul. Aeth yn ôl i'r dref a dychwelodd yr eildro â'i llond o goed. Yna cyrhaeddodd fan goch yn cario nifer o focsys mawr. Ddwy awr yn ddiweddarach, glaniodd tacsi ar y buarth, yn cario Gaynor a chwaneg o focsys. Syllais ar y cerbyd du yn ymadael: nid oeddwn wedi gweld tacsi o'r blaen.

Gwyddai pawb am y parti erbyn hynny – roedd tafodau'r fro yn sisial fel dail, gan fod Elgan a'r ferch wedi ymweld â phob annedd yn y cwm: roedd gan bob aelwyd ei cherdyn ei hun. Roedd hyd yn oed Siani High Heels wedi derbyn gwahoddiad. Aeth si drwy'r cwm fod Siani'n mynd i brynu pâr o welingtons er mwyn cael mynd, ond doedd neb yn coelio hynny. Welsai neb Siani heb ei high heels.

Anghofiodd pawb am y tywydd, a phrisiau ŵyn, a chlecs y fro. Unig bwnc trafod Cwm y Blodau oedd y gwahoddiad. Sut fath o barti fyddai o? Faint o bobl fyddai yno? Pam bod Gwyn wedi anfon llwyth o goed a pharseli i Hafod yr Haul? Faint oedd hyn i gyd yn mynd i gostio? Oedd o'n wir fod Gwyn ac Elgan mewn trybini gyda'r banc? Ac yna, o'r diwedd, fe ddaeth diwrnod olaf y mis.

Wn i ddim os oedd cynnal y parti ar noson Calan Gaeaf yn fwriadol ai peidio ond roedd y ffermwyr wedi hel eu defaid o'r mynydd ar yr un diwrnod, fel paratoad at y tywydd drwg i ddod. Gallai'r gaeaf fod yn llym iawn ar y topiau, roedd gerwinder Mynydd Hiraethog yn ddihareb.

Roedd diwrnod hel mynydd yn ddiwrnod hir. Âi'r ffermwyr i ben y mynydd ar eu merlod gyda'u cŵn ar doriad gwawr. Ymledasant wedyn fel rhwyd bysgota enfawr, yn hel pob cynefin i gyfeiriad giât mynydd Dolfrwynog. Clywyd nhw o bell i ddechrau, fel atgof o dwrw brwydr o'r oesoedd a fu; yna daethant yn agosach, a'r gweiddi a'r chwibanu'n fyddarol. Gwelais rubanau gwyn yn treiglo i lawr y llwybrau, gyda'r cŵn yn eu herlid o bob cwr. Edrychent fel y stribedi o law yn treiglo lawr ffenest y Landrover pan âi Elgan â mi ar neges i'r dref.

Ar ôl yr holl bryfocio a thynnu coes, ar ôl y baned lugoer a'r frechdan gaws, ac ar ôl y didoli, aeth y ffermwyr oddi yno fesul un gyda'i ddiadell, a dychwelodd yr hen ddistawrwydd i'r corsydd a'r moelydd unig.

Roeddwn wedi ymofyn cymorth Anwen fy chwaer a

Gwendolyn, merch Siani High Heels, i baratoi'r bwyd ar gyfer y parti yn Hafod yr Haul. Daeth Gaynor yn y prynhawn ar ran y papur, ond chwarae teg, ar ôl i mi ddod o hyd i ffedog lân iddi fe wnaeth cymaint ag unrhyw un. Gwnaed y rhan fwyaf o'r gwaith y diwrnod cynt: buom yn rhostio digon o gig i fodloni byddin. Fe wnaed sawl dysglaid o jeli – coch, gwyrdd a melyn – a blomonj pinc crynedig i'r plant ynghyd â phob math o sothach heblaw hynny. Daeth y sosej rôls a'r porc peis o siop Johnny Sixpence yn y dref, ond gwnaethom y cacenni ein hunain.

'Wna i ddim byd fel hyn byth eto,' meddwn wrth y ddwy arall. Pan lwythwyd y cyfan i'r Land Rover bu bron i mi lewygu a bu'n rhaid i mi eistedd yn y gegin gyda phaned am yn hir.

Wrth eistedd yno – yn ymaflyd cwsg – crwydrodd fy llygaid i gyfeiriad y cerdyn bach gwyn a gwyrdd ar y ddreser, rhwng dau blât mawr *willow pattern*. Ac er bod f'aelodau i'n drwm ac yn lluddedig, roedd rhaid i mi ymbaratoi ar gyfer y nos.

Ymolchais, ac es i'r llofft bach i newid. Ar ôl gwisgo fy ffrog orau, gwelais symudiad ar y buarth. Cerddodd pedwar o bobl heibio'r ffenest, ac ar ôl troi i edrych ar y ffermdy aethant ymlaen tua'r mynydd. Yna daeth eraill; galwais ar Gaynor, a oedd wrthi'n ymbaratoi yn llofft Gwyn, a daeth hithau i ymuno â mi.

'Sbïwch, da chi,' meddwn. 'Maen nhw wedi dechrau cyrraedd.' Yna daeth stribed arall o bobl, ac erbyn i ni orffen gwisgo roedd haid o bobl yn dringo'r allt i gyfeiriad Hafod yr Haul. Teuluoedd cyfan – babanod a neiniau; y crydd, y teiliwr, y gof, y ficer a'r blaenoriaid hefyd – roedd y cwbl lot ar eu ffordd i'r hafod. Yna daeth Gwyn i lawr yr allt yn y Land Rover ac es allan i'w gyfarfod.

'Dwi am fynd lawr i'r pentre i nôl y rhai sy'n methu cerdded,' meddai. 'A'i â chdi i fyny wedyn, mae'n siŵr dy fod ti wedi blino'n lân.'

Eisteddodd Gaynor a finnau wrth y bwrdd yn rhoi tipyn o golur, a rhois addurn newydd yn fy ngwallt. Gan fod y diwrnod hwn yn ddiwrnod pwysig iawn ym mywyd Elgan, roedd o'n bwysig i minnau hefyd.

Crwydrodd fy meddwl yn ôl i'r hen ddyddiau yng nghwmni Elgan. Roeddem wedi herian ein gilydd, wedi rhannu dyddiau yn yr haul a'r glaw; roeddem wedi eistedd yn yr un ystafell droeon yn gwrando ar y cloc mawr yn pendilio a'r tegell yn mwmian. Ac er fy mod i wedi bod yn eiddigeddus ohono ar adegau, y fo a'r ferch fach newydd, byddai'n rhaid i mi anghofio hynny heno.

Roedd Gwyn a minnau wedi gorfod gweithio'n galed iawn; roedd ambell i grych wedi dyfnhau ar fy wyneb, roedd rhannau o fy nghorff i wedi dechrau sigo, ac roedd gen i graith newydd ar fy mys, ond pa ots? Haf Elgan oedd yr haf hwnnw; hwyrach cawn innau fy haf bach fy hun rhyw ddiwrnod.

'Sut dwi'n edrych?'

Edrychodd Gaynor arnaf am yn hir.

'Chi wedi cawlio'n llwyr, Eirlys bach, a'ch llygaid fel bwganod, ond ma'r wisg na'n edrych yn *million dollars*, cariad. Y'ch chi'n ffansïo *swap*?'

Ac yna rhoddodd glamp o winc i mi. Roedd 'na rywbeth yn reit annwyl ynddi. Nid y math o berson roeddwn i wedi arfer efo hi, ond be wnewch chi? O leia roedd hi'n licio cael tipyn o hwyl.

***

Erbyn saith o'r gloch roedd trigolion y cwm wedi ymgynnull yn Hafod yr Haul. Roedd y stribed o bobl a welais ar y dechrau, yn cerdded drwy fuarth Dolfrwynog, wedi troi'n llif. Ond o'r diwedd, peidiodd y mynd a dod.

Roedd Elgan a'r ferch wedi bod yn brysur. Roedden nhw wedi creu llwyfan o dan y coed, o flaen y tŷ – llwyfan reit fychan, tua maint ystafell, wedi'i doi gyda defnydd ysgafn, golau – mwslin, mae'n debyg. Roedd rhywun wedi gweu dail crin yr hydref yn batrwm drosto ac yna wedi rhedeg goleuadau bach lliwgar ar hyd a lled y cyfan; goleuadau batri, tebyg i oleuadau coeden Nadolig. Roedd rhes o lusernau ar flaen y llwyfan, gyda nifer ohonynt hefyd yn crogi oddi ar ganghennau'r coed a thalcen y tŷ, a rhai yn addurno'r byrddau bwyd.

Syllais ar y plantos yn rhythu ar yr olygfa â'u cegau bach yn agored; doedden nhw erioed wedi gweld y fath beth o'r blaen.

Gosodwyd tair styllen braff fel pedol wrth geg y llwyfan – dyma'r sêt fawr ar gyfer yr hen bobl. Yn y canol eisteddai Siani High Heels, gyda phawb yn ymgrymu o'i blaen hi fel pe bai'n frenhines; gwnaent hynny i arbed ei llid, wrth gwrs. Gwyddent y byddai cleddyf ei thafod yn difa pawb a'i hanwybyddai. Gwelais lygaid pawb yn ciledrych ar ei sgidiau; ond roedd hi wedi prynu pâr o *galoshes* coch i orchuddio'i thraed enwog.

Syllais a syllais ar yr olygfa, gan ddrachtio'r cyfan fel meddwyn yn sugno ar ei botel. Roedd Cwm y Blodau yno i gyd – yr hen a'r ifanc, cariadon a gelynion; yr uchel ei barch a'r dihiryn. Atgoffwyd fi ar unwaith o'r hen lun mawr sepia ar fur fy Nain, yn dangos un o'r cyfarfodydd enfawr a gynhaliwyd ar ben y mynydd yn ystod Diwygiad 1904. Sylwn fod y rhan fwyaf o'r wynebau o'm cwmpas wedi eu naddu o'r un pren.

Roedd ein cymdogion yno a'u teuluoedd o ben draw'r cwm; teuluoedd na fyddem yn eu gweld yn aml. Eu goleuadau nhw

Nid oedd Elgan wedi dangos unrhyw ddiddordeb ym myd cerddoriaeth cyn hynny hyd y gwyddwn i, heblaw am fwmian ambell i diwn wrth wneud ei waith. Nid oedd wedi canu mewn côr, nac wedi chwarae offeryn; ond daeth atgof yn ôl i mi o'r canu pell-i-ffwrdd a glywais ar y gwynt wrth i mi ysbïo ar y ddau yn y grug – dyna oedd yr achos mae'n rhaid, roedd y ddau wedi bod yn ymarfer yn y bwthyn.

Synnwyd ni oll, felly, ac roedd y gwmnïaeth yn cynhesu i'r perfformiad. Cafwyd cymeradwyaeth frwd ar y diwedd. Ar ôl codi'r gitâr o'i arffed, daeth Elgan i'r blaen ac ymgrymodd. Roedd o'n mwynhau ei hun, gwenai ar bawb a daliai ei hun fel *showman* go lew. Dyna ochr ohono nad oeddwn i wedi'i gweld erioed o'r blaen.

Galwodd Elgan ar y plant i sefyll o flaen y llwyfan. Be wnâi o rŵan? Daeth y ferch â bwrdd bach o'r cysgodion a'i roi o flaen Elgan. Gwelsom fod blwch du arno â phatrwm o sêr arian. Gloywent yng ngolau'r llusernau.

Yn gyntaf oll, adroddodd Elgan stori wrth y plant. Dywedodd fod hen wraig wedi dod i Hafod yr Haul un diwrnod i ymweld â hwy. Roedd hi'n hen iawn a'i hwyneb fel wyneb gwrach. Roedd ganddi ffon grwca a sach dros ei hysgwydd; gwisgai fantell fawr ddu, ac roedd hi'n gloff. Gwelwyd hi'n sefyll yn llonydd ar ben y mynydd cyn iddi ddechrau cerdded yn araf tua'r tyddyn. Cynigwyd paned a bwyd iddi, ac eisteddodd y tri ohonynt o flaen y bwthyn, yng nghysgod y coed. Wedi gorffen ei phaned, cydiodd yr hen wraig yn ei sach, estynnodd flwch du â phatrwm o sêr gloyw drosto, a rhoddodd y blwch i Elgan. Yna cododd, rhoddodd ddau fys ar dalcen Elgan, ac wedi iddi wneud hynny, dywedodd wrtho y byddai'n ddewin, dewin mwyaf blaenllaw Cymru. Ac ar hynny, cerddodd yr hen wraig drwy'r coed; pan drodd y ddau i'w gwylio, roedd hi wedi diflannu. Edrychodd y plant ar Elgan, ac edrychodd pawb ar y blwch du â sêr arno; roedd Elgan wedi swyno'r plant, ac yn wir roedd o wedi ein paratoi ni oll ar gyfer yr hud a lledrith i ddod; roedd llygaid y rhai bychain yn fawr fel soseri. Aeth Dic Deryn i fyny at y llwyfan a syllodd yn hir ar y blwch du.

Pan agorwyd y bocs gan Elgan, datguddiwyd het consuriwr a hudlath a phac o gardiau. Clywais un o'r blaenoriaid yn achwyn dan ei wynt; dim ond y diafol a'i ryw fyddai'n chwarae cardiau. Safodd Elgan yn llonydd â'i freichiau ar led. Caeodd ei lygaid a daeth golwg bell dros ei wyneb. Clywsom guriad ysgafn ar dabwrdd yn y cefndir ac yna trodd Elgan yn ddewin. Estynnodd hancesi poced amryliw o'i lawes chwith – daethant yn rhibidirês hir, wedi'u clymu gyda'i gilydd; yna gofynnodd i un o'r plant dynnu ar hances arall yng ngodre ei drowsus a daeth stribed arall oddi yno. Daeth rhes arall o boced ei grys – llathenni o hancesi coch a glas a gwyrdd a melyn: ac er bod yr oedolion yn gwybod sut y gwnaeth y tric, roeddent hwythau hefyd yn chwerthin. Roedd Elgan wedi ein cyfareddu.

Ar ôl gorffen y tric hwnnw aeth Elgan ymlaen i wneud triciau â'r cardiau, a diweddodd efo tric arbennig. Rhoddwyd menig un o'r plant yn yr het serog, chwifiodd Elgan yr hudlath, ynganodd eiriau swyn a diflannodd y menig! Yna, pan ddaeth cwmwl dros wyneb y ferch fach, darganfuwyd y menig yn y bocs du.

Yn y rhan nesaf perfformiwyd i'r plant lleiaf – yn dechrau efo 'Triawd y Buarth'. Rhannwyd y plant yn dri grŵp ac roedd rhai yn canu *mw mw*, eraill yn canu *me me*, a'r trydydd grŵp yn canu *cwac cwac*. Cawsom lot o hwyl, roedd yr oedolion yn wirionach na'r plant.

Ar ôl hynny cafwyd dawnsio digri, gydag Elgan yn gwneud twrw mawr ar ei gitâr a'r ferch yn cogio bod yn ddawnsiwr fflamenco, yn gwneud pob math o stumiau ac yn chwarae castanéts uwch ei phen. Ac i ddiweddu'r rhan yma, canwyd 'Heno, heno, hen blant bach' ac aeth pawb i dipyn o hwyl yn gweiddi 'dime, dime, dime, hen blant bach' hyd at frigau'r coed uwchben.

Ond doedd Elgan a'r ferch ddim wedi gorffen eto.

Cafwyd sesiwn jyglo, gyda'r ddau ohonynt yn dechrau â thair pelen yr un, yna'n troi at ei gilydd ac yn lluchio'r peli rhyngddynt. Ymhen chwinciad roedd y peli'n rowlio dros bobman a bu cryn dipyn o watwar. Lluchiwyd y cwbl lot i'r dorf, a gwelir llawer ohonynt hyd heddiw yn addurno cartrefi'r cwm.

Daeth Elgan i flaen y llwyfan ac adroddodd ddarn o farddoniaeth am yr haf. Yna daeth y diweddglo – hen, hen ffefryn: 'Tra Bo Dau'. Daeth y gân yn don gynnes drosom – *Mae'r hon a gâr fy nghalon i, ymhell oddi yma'n byw, a hiraeth am ei gweled hi, a'm gwnaeth yn llwyd fy lliw...*

Daliais fy hun yn mwmian rhan o'r diwn ac yna ymunodd nifer o'm cwmpas yn y gytgan:

Cyfoeth nid yw ond oferedd; glendid nid yw yn parhau; ond cariad pur sydd fel y dur, yn para tra bo dau...

Roedd deigryn mewn sawl llygad erbyn y diwedd.

Wrth gydganu'r diwn olaf fe grwydrodd fy llygaid at Gwyn, a safai wrth ymyl Gaynor. Gwelwn rywbeth – bu'n rhaid i mi graffu. Oedd eu dwylo ynghlwm? Craffais a chraffais, es yn boeth ac yn oer. Edrychais i fyny ar wyneb Elgan ac mi roedd yntau hefyd yn edrych i gyfeiriad ei frawd, gyda gwên ar ei wyneb; yna trodd tuag ataf, a rhoddodd winc slei. Daeth dwndwr byddarol i 'mhen, caeais fy llygaid. Oedd hi'n bosib fod Gwyn a Gaynor wedi bod yn ymserchu tra oeddwn innau yno reit o dan eu traed? Sut roedd hynny'n bosib? Ni allwn gredu'r peth. Ond roedd y dystiolaeth yna o flaen fy llygaid – roeddent yn dal dwylo fel cariadon. *Eirlys*, meddai llais yn fy mhen. *Lle fuost ti? Oeddet ti'n ddall?* Gwcnais yn ôl i gyfeiriad Elgan, a gostyngais fy mhen. Roeddwn i'n teimlo mor ffôl. Sut medrwn i fethu'r fath beth!

Daeth y gân i ben – a dyna oedd diwedd y cyngerdd. Rhoddwyd y gitârs i lawr, a diolchwyd i ni oll am wrando. Gyda gwên fawr, cydnabyddodd Elgan nad oedd y ddau ohonynt yn y rheng flaenaf, ond roedd o wedi mwynhau paratoi'r adloniant yn fawr iawn, ac roedd o'n gobeithio ein bod ninnau wedi cael dipyn o hwyl hefyd. Daeth y ferch i ymuno ag ef i dderbyn ein cymeradwyaeth. Sylwais na ddywedodd Elgan ei henw hi unwaith, ac ni ddywedodd hithau air ychwaith, heblaw am ganu.

Noson fythgofiadwy. Nid stwcyn o ffermwr blêr efo sgidiau mawr a chôt bwgan brain a safodd o'n blaenau y noson honno, ond cerddor, dewin a diddanwr. Miwsig, campau, hudoliaeth – roedd rhywbeth at ddant pawb, ac roedd y curo dwylo a'r galw am fwy yn dangos fod noson lawen Elgan a'r ferch wedi bod yn llwyddiant ysgubol. Roedd hyd yn oed y cŵn defaid yn cyfarth rhyw fath o gydnabyddiaeth.

Cyn i'r achlysur ddod i ben, gwahoddwyd pawb i fwynhau'r wledd. Diolchodd Elgan i mi'n bersonol am drefnu'r cyfan. Daeth ton o guro dwylo a chochais innau unwaith eto.

Daeth cyfnod byr o ddistawrwydd wrth i bawb fynd ati i lwytho'r bwydydd ar eu platiau papur – y rhai cyntaf a welwyd erioed yn y cwm, ac yn rhyfeddod ynddyn nhw'u hunain. Aethom ati i giniawa a llymeitian, ac yn ystod yr egwyl hon chwaraewyd casgliad o awelon swynol gan y ferch; ambell i un ar y gitâr, rhai eraill ar chwiban tun.

Roedd Elgan wedi diflannu i rywle, ac yna gwelais pam.

Ymddangosodd golau coch yng nghornel fy llygad ac yna clywais glecian a stŵr pren yn llosgi. Ar safle'r hen domen, yn ddigon pell i ffwrdd o'r coed, roedd Elgan wedi codi coelcerth wych. Tyrrodd pawb draw i fwynhau'r olygfa, ac yna gwelsom fflachiadau tân gwyllt – goleuadau llachar yn y nen, ffrwydradau, a rocedi yn fflachio mewn amrywiaeth o luniau. *Oooo*, meddai'r plant. *Aaaaa*, meddai'r oedolion.

Dyna'r sioe orau a welodd y cwm erioed. Byddai pawb yn sôn amdani am flynyddoedd; byddai pob mam yn adrodd y stori wrth ei phlant cyn cysgu, byddai teidiau a neiniau yn disgrifio'r noson honno i'w hwyrion bach ar nosweithiau Guto Ffowc yn y dyfodol. Byddai Elgan a'r ferch yn enwog, yn yr un modd ag y dathlem Geraint Rees yn mynd i chwarae i Blackburn Rovers a Wiliam Dafis yn ennill y Rhuban Glas.

Mae'n rhaid fod yr haf hwnnw wedi bod yn brofiad aruthrol i Elgan. Roedd o wedi blasu profiad heb ei debyg. Ddigwyddodd ddim byd tebyg i mi, ond rwy'n falch fy mod i wedi gallu dweud y stori. Heblaw am y nodiadau hyn, basa'r stori wedi mynd i ebargofiant. Aeth y blynyddoedd heibio, ond erys yr haf hwnnw'n glir yn y cof. Mae gennyf lun o'r ddau ohonynt ar fur fy nghof, yn sefyll ar flaen y llwyfan ac yn derbyn cymeradwyaeth trigolion y cwm, yn dal dwylo ac yn gwenu'n swil i bob cyfeiriad. Roedd y ddau wedi llyncu pob tamaid o gariad sbâr yn y byd, doedd dim ar ôl i Huw a minnau.

Daw'r ddau yn ôl ataf bron bob dydd – dônt o'r cysgodion pan welaf lwyn o goed tebyg i'r llwyn yn Hafod yr Haul yn dawnsio yn y gwynt; dônt yn ôl pan welaf hen furddun bach ynghwsg yn ffaldau rhyw rostir mynyddig, a phan ddaw gwyntoedd y gorffennol i gwyno yn y bondo. Daw'r ferch yn ôl i ymweld â mi yn y nos; eistedda'n amyneddgar ar y stôl yn f'ystafell wely yn edrych arna i tra byddaf innau'n breuddwydio amdani. Mi fydd hi efo fi am byth, gwn hynny nawr. Ni wnaiff siarad byth, na gwgu, na ffromi. Daw ei phresenoldeb yn don gynnes tuag ataf, teimlaf ei bodolaeth yn cynhesu'r ystafell.

Does gennym ni ond hyn a hyn i'w roi yn ôl i'r rhai hynny sy'n ymofyn cariad. Ac roeddem ni oll yn farus, yn anghenus am y math o gariad a gynrychiolai'r ferch yn y wisg werdd. Gwelaf hi ar lwybrau'r nos. Cwyd ei llaw i'm cyfarch o bell. Gwena. Ysbryd yw hi nawr – chwa ysgafn, pluen, hanfod rhyddid. Dyw hi'n perthyn i neb; daw fel iâr fach yr haf; ymlyna wrth ddeilen am eiliad, yna aiff ymaith eto, yn troelli drwy'r bydysawd. Aiff heibio eto fel gwreichionyn o dân gwyllt. Cafodd Elgan haf cyfan ohoni, ond ni chefais innau ond rhyw awr neu ddwy. Cariad fel yr haul. Llosgwyd Elgan bron yn ulw gan y profiad.

Pan ddaeth y parti i ben, aethom adref yn araf ar hyd y mynydd. Gwelais y tortsiau yn symud rhwng y corsydd, fel pe bai sarff gloyw enfawr yn ymlwybro tua'r gorwel. Roedd Elgan a'r ferch wedi diflannu i rywle, ac erbyn hanner nos roedd pawb wedi ymadael. Nid oedd llawer o fwyd ar ôl, ond casglwyd yr hyn oedd yn weddill ar frys cyn ymadael. Gwyn, Gaynor a minnau oedd y diwethaf i adael. Dwi'n cofio edrych yn ôl, mewn ymgais i fframio'r olygfa am byth. Roedd y llusernau wedi'u diffodd erbyn hynny, ond gwelwn nhw yn llygad fy meddwl. Gwelwn wynebau hapus yr henoed, wynebau cynhyrfus y plant. Gwelwn y ddau lew ar y llwyfan, a gweddillion y goelcerth yn wincio drwy'r tywyllwch.

Dros y dyddiau nesaf, lledodd hanes y noson honno'n chwedl dros y wlad. Trodd Elgan yn arwr. Oedd, roedd rhai yn genfigennus ohono ac yn dweud pethau chwerw – mae 'na wastad bobl fel'na, does? Ond roedd y rhan fwyaf o drigolion Cymru yn ei edmygu o.

A be deimlwn i? Cenfigen, balchder? Wn i ddim wir. Ond fe

gwynai llais bach yng nghefn fy mhen: *A be wnest ti yn ystod yr* *haf hwnnw, Eirlys? Be wnest ti ond mygu cariad a magu torogen i* *gnoi ar dy galon yn y dyddiau i ddod?*

Wyddom ni ddim be ddigwyddodd yn Hafod yr Haul ar ôl i bawb ymadael. Cafodd Gwyn rywfaint o'r hanes wedyn, a finnau hefyd fel mae'n digwydd, o enau Elgan ei hun. Pan ddychwelodd y distawrwydd a'r tywyllwch arferol i'r hafod, ymlaciodd Elgan a'r ferch yng nghysgod y coed. Yna aethant i'r tŷ i gysgu.

Pan ddeffrwyd Elgan gan yr adar mân yn y bore bach, trodd i gyffwrdd yn y ferch; ond doedd hi ddim yno. Roedd y gwely yn wag ac yn oer. Yr unig ran ohoni ar ôl oedd y gadwen arian, a adawyd ar ei chlustog. Neidiodd Elgan o'r gwely a rhedodd allan o'r tŷ gan weiddi ei henw. Aeth i bob cwr o'r hafod yn galw, yn sgrechian, yn llefain. Roedd o dal heb feddwl gwisgo.

Ond ni chafodd ateb. Erbyn hynny roedd hi wedi diflannu am byth.

Pennod 8

Awn ar ein siwrne i Enlli. Myfi ac Elis. Buom yn teithio drwy'r dydd ddoe: ar y trên i Bwllheli, ac yna mewn siarabáng ar hyd Pen Llŷn, y tir yn ymestyn i'r môr fel braich. Rydym yn mwynhau haf bach Mihangel ac mae Cymru'n pendwmpian yn yr haul. Cawsom noson mewn gwesty yn Aberdaron, cinio mewn cornel ddistaw yn edrych ar y tonnau'n cyrraedd y lan, un ar ôl y llall, heb flino'r llygad unwaith. Bodlonrwydd cyfforddus. Yna, wedi ffarwelio ag Elis, profi cwsg llesmeiriol mewn llofft fach uchel, a'r môr yn suo canu islaw.

Mae Elis yn gwybod bron y cyfan o'r stori erbyn hyn. Rhoddais y llyfr coch cyntaf iddo'i ddarllen wythnos yn ôl ond nid yw wedi dweud dim byd amdano hyd yn hyn.

Ar ein siwrne ar y trên, roedd am glywed y diweddglo, ond cyn dadlennu fy nghyfrinach adroddais ychydig mwy o'r hanes, wrth i Gymru wibio heibio: llefydd na welais i erioed o'r blaen – Penmaenmawr, Llanfairfechan, Caernarfon, Llanwnda, Y Groeslon, Bryncir, Chwilog, Abererch. Roedd clywed yr enwau ar bob platfform llawn cystal â darllen awdl y gadair. Dywedais y cyfan wrtho; nid fel cyfiawnhad, ond fel esboniad. Dim ots be ddigwyddai nawr, roedd o'n haeddu cael fersiwn o'r gwir. Dyna oll yw hanes, yndê? Un fersiwn o'r gwir – ein fersiwn ni ein hunain.

**

Wedi diflaniad y ferch yn y wisg werdd, aeth Elgan ar goll am bythefnos. Hyd heddiw, ni wŷr neb i ble yr aeth o. Dydi o ddim yn siwr ei hun, dwi'm yn meddwl.

Es i Hafod yr Haul y bore wedi'r noson lawen – noson a drodd yn chwerw iawn i Elgan, fel mae'n digwydd – i glirio ar ôl y wledd. Roedd y drws yn agored a'r lle yn wag. Tra aeth Gwyn i edrych am ei frawd ar y mynydd, sleifiais i mewn i'r bwthyn, fel lleidr. Teimlwn fel pe bawn yn llithro i lofft Mam a Dad ers talwm – roedd sawr preifat i'r lle a gwyddwn na ddylwn dyrchu drwy'r droriau na'r cypyrddau. Gwyddwn, rhywsut, fod yr oedolion yn gwneud pethau cudd ac yn gwybod pethau cyfrin.

Gadewid drws Hafod yr Haul heb ei gloi drwy'r adeg fel cymwynas i'r cymdogion; caent fynd yno i lechu pan ddôi niwl trwchus dros y tir – ac fe ddigwyddai hynny'n eitha aml. I laws oedd mynd i mewn i'r tŷ na chrwydro ymysg y corsydd – gallai'r niwl ddrysu dyn, gallai'r fignen lyncu ceffyl cyfan.

Roedd hi'n dywyll yn y bwthyn ac roedd yr awyr yn oer. Ogleuwn fwsogl a rhisgl coed, mawn a mwg tân. Ogleuwn wêr cannwyll a llwydni, ac roedd aroglau arall hefyd: sawr y gorffennol. Y gorffennol pell a'r gorffennol agos, ynghlwm â'i gilydd.

Cyn i'r gwyll glirio a chyn i mi edrych i bedwar ban yr ystafell, fe'm lloriwyd gan wewyr hiraeth fel pe bawn wedi cyffwrdd â gwifren noeth y gorffennol. A'r peth rhyfedd yw, nid hiraethu am fy ngorffennol fy hun yr oeddwn i, ond am orffennol y bwthyn bach ar y mynydd.

Dyheuwn am ddychweliad Elgan a'r ferch i'r tŷ bach gwyn. Caeais fy llygaid, a chlywais ei droed yn taro'r rhiniog; clywais chwarddiad ysgafn y ferch o gwr y coed; clywais dannau gitâr yn swyno'r awyr; clywais 'Tra Bo Dau' yn siglo'r ddeilen olaf un ar y canghennau. Gyda phoen bach tyn yn fy mrest, dyheuwn am ailddyfodiad y ddau i'w lloches ymysg y brwyn a'r grug. Mynnwn deimlo be deimlodd y cariadon – gan mai eu drama nhw oedd y peth agosaf a deimlais at gariad pur. Mynnwn yfed yr un cyffur â nhw, mynnwn brofi gwefr cariad yn trydanu drwy'r corff – y nwyd cyntefig hwnnw sy'n blodeuo'r byd ac yn glasu'r nen.

Agorais fy llygaid ac yna'n araf, araf, gwelais y bwthyn yn ei wir noethder. Ystafell fach lychlyd a welais, dyna'r oll. Gweoedd pry cop yn y corneli ac roedd hen fwyell rydlyd ac ysglodion pren wrth y lle tân. Mewn un gornel gwelwn ryw fath o wely a wnaed o styllod. Roedd y dillad gwely'n flêr, wedi'u gadael fel yr oeddent y bore hwnnw pan ddiflannodd y ferch. Dros ei waelod gwelwn *eiderdown* hen ffasiwn yn ymledu o'r gwely i'r llawr; roedd ei batrwm yn welw ac yn llawn creithiau – deuai ffrydiau o fanblu gwyn ohono fel eira mân ar fore tywyll. Drwy'r ffenest fach uchel uwchben y gwely deuai golau gwyrdd, gan fod cen emrallt wedi lledu dros y pedwar chwarel. O boptu'r lle tân roedd dwy hen gadair orffwys. Roedd bwrdd â channwyll arno ac ychydig o lestri blêr. Roedd wardrob a chwpwrdd mawr du – hen ddodrefn wedi'u clirio o dai'r pentref oedd y rhain, fuasai neb isio rhoi cartref iddyn nhw heddiw.

Dychmygais y ddau'n gorwedd ar y gwely yn clywed cri'r gylfinir ymysg y twyni diffaith; brefiad ambell ddafad yn galw ar ei hoen, llef llwynog a chwyn y gwynt yn y to sinc. Buasai'r ddau wedi cydorwedd ar y gwely syml yn gwrando ar lais y mynydd yn datgan buchedd unig y bugail a gwacter di-ben-draw'r diffeithwch. Byddent wedi clywed llais yr afon; crwydriad braich ar glustog; cytgan y gwely i ganiadaeth serch. Ond fy nychymyg i oedd yn tynnu'r llun hwn, nid tystiolaeth hanes.

Daeth rhyw ysfa drosof, tynnais fy sgidiau i mi gael teimlo'r llawr o dan fy nhraed. Lloriwyd y bwthyn efo meini slaets, pob un cymaint â chaead bedd. Cerddais o gwmpas yn araf, yn mwynhau'r oerni. Yna es ymhellach; tynnais fy nillad yn araf a gadewais i bob dilledyn ddisgyn i'r llawr. Sefais yno yn noeth ac yn llonydd, yna cerddais i gyfeiriad y drws. Rhois fy nghefn yn erbyn y mur i mi gael teimlo'r cerrig yn gwthio i mewn i fy nghnawd; yna, yn llechwraidd ac yn wyliadwrus, agorais y drws a sefais y tu ôl iddo, yn pipian ar y byd mawr y tu hwnt i'r coed. Yn araf, camais ar y rhiniog; edrychais i bob cyfeiriad, craffais ar y tir uchel o amgylch y lle, ac yna cerddais allan o'r drws. Goleuwyd fi'n wyn gan yr haul, crychwyd fy nghroen gan yr awelon, a brathwyd fy nhraed gan ambell i asgellyn, ond cerddais ymlaen, cam ar ôl cam, tua'r pwll yn yr afon, gan ofni edrych i fyny rhag ofn fod rhywun yn gwylio. Cyrhaeddais y maen mawr wrth y pwll; swatiais arno am dipyn, ac yna taflais fy hun i'r dŵr.

Bu bron i'r sioc fy lladd i – roedd y dŵr yn iasol; ond ar ôl arfer iddo, nofiais yn araf gan edrych o'm cwmpas. Gwelwn yr hafod o safle newydd; safle dyfrgi, safle Elgan a'r ferch. Yna dychrynais. Oedd 'na rywun yn edrych arna i o'r grug, draw ar y gorwel? Be wnawn i os deuai Gwyn yn ôl yn ddirybudd? Neidiais o'r dŵr a rhedais fel milgi tua'r tŷ, yna gwisgais cyn gynted ag y medrwn. Roeddwn yn crynu fel deilen; daeth ton o flinder drosof ac es i eistedd wrth y bwrdd, gan feddwl am Elgan a'r ferch.

Tybiai Gwyn o'r dechrau mai perthynas hollol ddiniwed, blentynnaidd a brofodd muriau Hafod yr Haul yr haf hwnnw. Ffantasi oedd y cyfan, brodwaith coeth ar ymyl rhacsyn o fywyd. Do, bu'r ddau yn dal dwylo ac yn cusanu, yn ymdrochi'n noeth ac yn cydorwedd yn y grug, ond nid profiad cnawdol, nwydus, chwantus ydoedd, fel y berthynas rhyngof i a Huw.

Ni wn pam bod Gwyn yn meddwl fel hyn. Efallai ei fod – fel brawd mawr – wedi dirnad rhywbeth y tu hwnt i bawb arall, neu efallai fod Elgan ac yntau wedi trafod y cyfan gyda'i gilydd yn y gegin yn Nolfrwynog wedi i mi fynd am adref.

Gwelwn lun o'r ddau. Gwelwn Elgan yn rhoi ei ddwylo ar y bwrdd o'i flaen ac yn dweud:

'Gwranda Gwyn, dw i isio trafod hyn. Dydi o ddim yn hawdd, oherwydd does dim byd fel hyn wedi digwydd i mi erioed o'r blaen. Ond ti 'di'r unig un wnaiff ddeall. Mae rhywbeth arbennig iawn wedi digwydd i mi; dydw i ddim yn siŵr iawn be sy'n mynd ymlaen ond dwi'n teimlo'n siŵr na wnaiff hyn ddigwydd i mi eto. Nei di fod yn amyneddgar efo fi? Nei di edrych ar ôl pethau am dipyn, i mi gael aros efo hi ar y mynydd? Mae hi mor, mor sbesial. Dydw i erioed wedi cyfarfod â neb tebyg iddi – mae hi'n graff, yn fedrus; mae hi'n dysgu rhywbeth newydd i mi bob dydd. Mae hi mor *ddiddorol*, Gwyn, 'da ni'n cael cymaint o hwyl efo'n gilydd!'

Gwelwn y ddau ohonyn nhw yn gwrando ar yr hen gloc yn tician a'r tegell yn mwmian ar y stof. Dychmygwn Elgan yn cymryd ei het newydd yn ei ddwylo ac yn ei throelli'n araf, cyn dweud:

'Y peth ydi, Gwyn, does na ddim byd *fel'na* wedi digwydd eto... dydi hi'm yn barod am hynny eto. Ond hwyrach, efo amser, y bydd hi'n teimlo fel... dwi'n barod i aros amdani Gwyn, dwi'n barod i aros am byth os bydd rhaid. Wyt ti'n deall sut dwi'n teimlo? Dyma'r peth pwysicaf sydd wedi digwydd i mi erioed, mae'n rhaid i mi ddilyn fy nghalon.'

Ac rwy'n siŵr fod Gwyn wedi gwenu, byddai wedi deall yn union be oedd yn digwydd i'w frawd, oherwydd roedd yr un peth yn digwydd iddo yntau – gyda Gaynor! Fe ddeallai sut y teimlai Elgan. Roedd teimladau a chyrff y ddau wedi'u meddiannu gan bla pleserus. Roedd grym serch yn gryfach na disgyrchiant, roedd ei wres yn boethach na'r haul. Ond dyfalu ydw i. Efallai fod Elgan a'r ferch wedi profi nwyf y corff cystal â neb byw.

Dydi rhywbeth fel'na ddim yn digwydd i bawb. Os ddaw o, rhaid gafael ynddo'n dynn – hyd yn oed os pery ond am un noson yn unig, neu am wythnos, neu fis. Am un haf, o leiaf, fe ddigwyddodd hyn oll i Elgan. Tra oedd yr egin yn ymwthio o'r tir, tra oedd y defaid yn llyfu eu hŵyn newydd-anedig, tra oedd Gwyn a minnau yn hel y gwair a'r grawn i'r helm, gadawyd i Elgan flasu'r cyffur cryfaf yn y byd.

Anghofiodd am ei gwys gam a'i gap glas, anghofiodd am Ddolfrwynog, anghofiodd am Eirlys fach y forwyn. Nid oedd hanes yn bodoli cyn iddo gyfarfod y ferch yn y fynwent; nid oedd Elgan wedi *byw* tan y gwelodd o rithlun gwyrdd yn gorwedd ar garreg fedd ymysg y Cennin Pedr. Dyna pryd ganed Elgan Evans. Diflannodd y taeog â'i gap glas a'i fwstás gwladaidd; diflannodd popeth ond y ferch a Jess, ci ast ffyddlon. Bu hi yno drwy'r cyfan, yn dyst mud i fympwy ei meistr.

★★★

Awn ar ein siwrne i Enlli yn gynnar yn y bore. Elis a finnau yn ymadael ar y penllanw. Mae'r wybren yn las a'r môr yn fud, heb chwa o wynt i grychu ei wyneb. Awn o Borth Meudwy, yng nghwch Mr Evans, gyda'r môr yn fflachio ac yn serennu dan yr haul. Dwi'n daer i wybod pwy oedd y meudwy. Be ddaeth â fo i'r fan hon? Lle roedd ei gell fach oer? Pwy oedd yn ei fwydo? Be wnâi o drwy'r dydd – gweddïo, erfyn ar

Dduw am waredigaeth? Oedd o'n unig weithiau, oedd o'n wylo? Hwyrach fod y creadur yn orffwyll ar ôl colli cariad mawr ei fywyd.

Ac i ffwrdd â ni; dryllir tarian y dŵr yn deilchion gan freni'r cwch. Rwyf yn ymddwyn fel hogan ifanc eto – rwy'n chwerthin pan ddaw lluwch o'r ewyn gwyn i daro fy ngrudd; rwy'n rhedeg fy mysedd drwy'r heli, rwy'n tynnu fy sgarff newydd er mwyn cael teimlo'r gwynt yn gafael yn fy ngwallt a'i daflu i bob cyfeiriad. Dwi'n teimlo'n wyllt ac yn hapus – rwy'n ifanc unwaith eto! Daw'r ynys i'r golwg yn araf wedi i ni gylchu'r penrhyn. Gwelaf fynydd crwm yn yr heli, morfil yn cysgu ar wyneb y môr mawr. Mae'r awyr yn brysur efo adar, yn hedfan yn isel dros dalcen y dŵr fel taflegrau wedi'u tanio o'r creigiau gerllaw. Y pwffin â'i big trwchus, lliwgar; gwalch y penwaig, yr heligog a'r bilidowcar... mae enwau hudolus i'r adar hyn, adar na welais erioed o'r blaen. Y môr yw fy nghynefin nawr; ar ôl torri cadwyni'r cwm – unwaith ac am byth – rwy'n teimlo'n hollol rydd am y tro cyntaf yn fy mywyd. Dywedodd Elis rywbeth rhyfeddol wrthyf neithiwr, bod 'na filoedd ar filoedd o bobl ar draws y byd nad ydynt erioed wedi camu ar dir sych; cawsant eu geni ar y môr ac maen nhw wedi byw ar fwrdd llong drwy gydol eu hoes – byddan nhw hyd yn oed yn marw yno, nid yw eu traed wedi cyffwrdd â'r tir.

Dwi'n mwynhau curiad calon y cwch – y clync-clync-clync trwm sy'n dod o'r injan. Dwi'n mwynhau taith araf y cymylau bach gwyn ar hyd y gorwel; rwy'n mwynhau gweld yr ynys yn tyfu o'n blaenau fel swigen waed.

Ymhen dim rydym wedi closio at y clogwyni mawr sy'n wynebu Llŷn; daw clegar a chwerthin cant a mil o adar y môr i'n cyfarch. Dônt i chwyldroi o gylch y cwch; llenwir fy ngolwg â llu o ddotiau bach du yn ffrwydro i bob cyfeiriad, fel pe bawn i wedi taro fy mhen ar drawst.

Peidia'r clync-clync-clync yn sydyn; teimlaf y môr yn gafael yn y cwch fel pe bai'n blisgyn cneuan ac yn ein plicio ni o'r dŵr distaw i'r cildraeth bach sydd hefyd yn harbwr i'r ynys. Byrlyma'r dŵr o'n cwmpas, daw tonnau o'r lan a rhoddant slap ar ôl slap i arch fach ein gwaredigaeth.

Dwi'n ofnus am 'chydig; yna cyrhaeddwn y lan ac mae'r tir yn teimlo'n anhygoel o gadarn dan droed. Dwi'n teimlo fel concwerwr! Cofleidiaf Elis, chwarddaf fel plentyn sydd newydd fod ar y *big dipper* yn y Rhyl ar ddiwrnod y trip Ysgol Sul. Daw breichiau Elis o'm cwmpas; teimlaf ei ên ar goron fy mhen. Nid ydym wedi cyffwrdd o'r blaen; rwy'n teimlo'n afrosgo, gadawaf i 'mreichiau ddisgyn. Daw golwg boenus i'w wyneb a chwyd ei law i'w ystlys.

'Elis druan, dwi wedi dy frifo di!'

'Nag wyt Eirlys, paid â ffysian. Mi aiff mewn dipyn – tyrd, awn ni am dro.'

Mae ei wep o wedi troi'n wyn, rwy'n teimlo'n euog. Ond cyn pen munud rydym yn sefyll yn stond eto. Be 'di'r twrw 'na – y llefain dolurus, y wylofain galarus? Oes 'na rhywun wedi cael damwain, neu'n marw?

Clywn ein capten yn chwerthin o'r cwch.

'Duwcs, mae'r oedfa wedi cychwyn yn gynnar heddiw. Pwy sy'n codi'r canu, tybed?'

Amneidia tua'r creigiau gerllaw. Syllaf i gyfeiriad y llefain, ac yna fe'u gwelaf – teulu o forloi yn gorweddian fel bustych tew ar y creigiau. Sôn am sŵn! Clywaf holl dristwch y byd yn eu lleisiau, rwyf bron â wylo fy hun.

'Rargian,' medd Elis, 'chlywais i ddim byd fel'na o'r blaen. Maen nhw'n swnio mor ofnadwy o ddigalon.'

Eisteddwn ar silff o dir wrth y lan, yn gwrando arnyn nhw. Ydyn, maen nhw'n swnio'n drist iawn, ac eto mae eu cydadrodd yn hudolus ac yn deimladwy. Corws dwys y creigle; catrawd yn ffarwelio â'r byd hwn ar ôl brwydr.

'Mae'r sŵn 'na mor hiraethus Elis – tyrd da chdi, cyn i mi luchio fy hun i'r môr.'

'Dyna pam ddois i â chdi yma,' medd Elis.

'Be, i wrando ar y rhain?'

'Na, i mi gael dy weld ti'n lluchio dy hun i'r môr.'

'Ha Elis, rwyt ti mor uffernol o ryfedd.'

Cerddwn i'r goleudy, sy'n sefyll fel cawr ym mhen draw'r ynys, wedi pwdu â phawb arall. Mae'r tir bron yn wastad yn fan'ma, edrych yr ynys fel talp o fenyn sydd wedi toddi ac wedi rhedeg ar un ochor.

'Mae o'n sgwâr!' meddaf innau pan gyrhaeddwn yr adeilad, 'roeddwn i'n meddwl fod pob goleudy'n grwn!'

'Does na ddim llawer sydd fel hwn, dw i'm yn meddwl,' ateba Elis.

Mae edrych ar ei ffenestri uchel yn brifo fy ngwddw.

'Dwi isio dod yma yn y nos, i weld y golau,' meddaf. Dwi'n dyheu i weld y golau'n troi dros y tir a'r môr, yn gyrru ei neges dybryd i weddill y byd: *peidiwch â dod yn agos, cewch eich lladd ar unwaith os gyffyrddwch â mi...*

Mae 'na bobl fel'na hefyd. Rydach chi'n gwybod, rhywsut, na ddylech chi fynd yn rhy agos atyn nhw.

Awn i eistedd ar sedd gron o dan y llymbren gerllaw. Clywn y fflag yn clecian uwchben wrth i ni fwynhau ein paned gyntaf ar ein hymweliad â'r ynys – rwyf wedi prynu fflasg *Thermos* newydd ar gyfer y siwrne. Mor braf ydi cael eistedd a gwylio'r môr yn ymestyn ymhell tua'r gorwel. Dwi'n gofyn i Elis:

'Lle fysa ni'n cyrraedd tasa ni'n dechrau rhwyfo draw dros y gorwel heddiw?'

'Yr Eil o Man, Iwerddon, ac yna America. Pam, wyt ti'n ffansïo mynd?'

Ond cyn i mi ateb mae o'n dechrau canu 'Fflat Huw Puw'.

'Mae gen ti lais fel rhywun yn sathru ar lyffant!' meddaf ar ôl iddo orffen ei bwt o gân.

'Diolch, Eirlys. Mae'n siŵr fod gen tithau lais fel Maria Callas, 'does!'

Distawn, ac awn ati i lymeitian yn ddistaw. Dydi o ddim yn tynnu ar ei ddiod ac yn gwneud sŵn draen fel Gwyn ac Elgan. Ydi, mae Elis yn dipyn o *gentleman*. Rhwng sipiau mae Elis yn synfyfyrio ac yn rhannu'i fyfyrdodau. Gofynna:

'Ai hyn yw'r agosaf y down ni i'r arall fyd, Eirlys? Ai paratoad am y siwrne olaf yw ymweliad â phob ynys? Ai dyna pam daeth y seintiau i Enlli – i edrych tua'r môr ac i sefyll yno i ddisgwyl am arwydd?'

Mae rhywun yn troi cae wrth ymyl y lan, a gwelwn gwmwl bach o lwch yn hedfan tua'r môr.

'Tybed oes 'na lwch sant ymysg y cwmwl 'na?' gofynna Elis.

'Esgob annwyl Elis, rwyt ti'n lot rhy ddwfn i mi.'

'Paid â phonsio, Eirlys – mae gen ti ddigon yn fanna,' ac mae'n taro ei dalcen efo'i fys.

'Tyrd Eirlys, gad i mi glywed dipyn mwy o'r hanes cyn i ni fynd ymlaen, dwi'n licio eistedd yma a gwylio'r môr.'

Dwi'n ail-lenwi fy nghwpan yn araf, er mwyn cael amser i baratoi. Yna af ymlaen â'r stori.

***

Aeth Elgan ar goll ar ôl i'r ferch ddiflannu. Roedd o wedi mynd i edrych amdani, mae'n debyg. Dydi o erioed wedi trafod y cyfnod hwnnw, düwch yw'r cyfan. Wedi pythefnos, dychwelodd i'r cwm ac aeth yn syth i Hafod yr Haul. Welodd neb lawer ohono wedyn chwaith, ond un noson daeth cnoc ar ein drws yn y pentref, a phwy oedd yno ond Elgan.

'Elgan!' meddwn innau, fel ffŵl. 'Lle rwyt ti wedi bod, dywed? Tyd i mewn, da chdi.'

Ond parhaodd i sefyll yno, yn edrych arna i. Doedd o ddim wedi newid cymaint â hynny: edrychai braidd yn flêr ac roedd golwg wyllt yn ei lygad, ond ni edrychai fel arwr rhamantaidd neu ddyn gorffwyll wedi'i yrru o'i gof gan gariad.

'Tyrd Eirlys, dwi isio dangos rhywbeth i ti.'

Ond fel mae'n digwydd, roeddwn i'n disgwyl Huw y noson honno. Ar ôl gohirio'r cynllun i briodi, roeddem wedi cytuno i setlo'r peth unwaith ac am byth. Roeddwn wedi bod mewn penbleth ynglŷn â'r cyfan ers dyddiau ac roedd niwl du wedi meddiannu fy mhen ers y bore. Ond gwyddwn fod yn rhaid i mi ddweud 'ie' neu 'na' pendant.

'Tyrd Eirlys,' meddai Elgan unwaith eto.

'Fedra i ddim, Elgan, mae'n rhaid i mi aros yma heno, dwi'n disgwyl Huw.'

Daeth golwg ddryslyd i'w wyneb.

'Huw? Pwy 'di Huw?'

'Ti'n cofio Huw Frondeg, siŵr?'

'Ydw, ond pam fod..? Be sy 'di digwydd? Dydw i'm yn dallt.'

Cofiais nad oedd yn gwybod dim am ein carwriaeth, ond cyn rhoi'r cyfle i mi egluro, gafaelodd yn fy mraich a'm tynnu tuag ato.

'Tyrd, dwi isio dangos rhywbeth i ti.'

Roedd 'na olwg ci bach ar ei wyneb, roedd o'n erfyn arna i

efo'i lygaid. Be wnawn i? Roeddwn i mewn cythraul o benbleth
– ond Elgan oedd fwyaf anghenus y noson honno hyd y gwelwn
i. Cydiodd yn fy llaw a thynnodd fi o'r tŷ.

'Tyrd, rhaid i ti weld be dw i wedi ffeindio.'

'Gad i mi nôl fy nghôt o leia,' meddwn innau, ac ar ôl troi
i ddweud gair wrth Anwen, cydiais yn fy nghôt a'm menig ac
i ffwrdd â ni. Roedd hi wedi oeri'n ofnadwy, roedd y gaeaf yn
dechrau gafael. Cerddwn yn gyflym tu ôl i Elgan am ganol y
pentref. Dechreuodd eira mân ddisgyn fel siwgr eisin ar gacen
Dolig y ddaear. Roedd hi'n dechrau tywyllu hefyd, ac roedd y
gwynt yn codi.

'Storm ar y ffordd,' meddwn innau.

'Tyrd Eirlys, i ti gael gweld...'

Gafaelodd yn llawes fy nghôt a'm tynnu i gyfeiriad y
fynwent. Gwichiodd y giât wrth i ni gamu i'r gwyll o dan y
coed yw, a chlywais dylluan yn cŵan ymysg y coed. Roedd hi'n
noson wyllt erbyn hyn, roedd y storm yn dechrau swnian yn y
coedydd ar lethrau'r cwm.

Roedd yr eira'n dechrau gafael hefyd a distawodd ein sangiad
ar hyd y llwybrau. Teimlwn fel pe bawn yn cerdded i mewn i
fyd arall; yn hytrach nag eistedd yn y parlwr bach yn trafod
y dyfodol gyda Huw, roeddwn yn cael fy nhywys i gyfeiriad
dirgelwch rhyfeddaf fy mywyd. Cerddasom rhwng y coed, efo
Elgan yn dal gafael arna i fel pe bai o'n disgwyl i mi ddianc.

Daethom at feddrod gwastad yng nghysgod yr eglwys, a
gwyddwn ar unwaith lle roeddwn i. Doedd dim rhaid gofyn
iddo os mai hwn oedd y bedd lle gwelodd Elgan y ferch yn
y wisg werdd am y tro cyntaf. Tywysodd fi at y garreg; ac er
fy mod wedi clywed droeon am y lle hwn, a'i bwysigrwydd
yn hanes Elgan, doeddwn i erioed wedi bod yno. Roedd y
golau'n pallu ac roedd hi'n anodd gweld. Bellach roedd yr eira

wedi gorchuddio wyneb y garreg ac nid oedd modd darllen y sgrifen arni. Plygodd Elgan a chliriodd rhan o'r wyneb â'i lawes i ddadorchuddio'r geiriau. Ond roedd hi'n rhy dywyll i ddarllen y sgrifen, er i mi blygu a chraffu.

Aeth Elgan i'w boced a chlywais focs matsis yn symud o law i law. Codais fy nghôt ar bob ochr fel adenydd i warchod y fflam, a phan ddaeth y golau, clywais ei lais yn adrodd rhai o'r geiriau:

'Er cof am Fflur, merch Hafod yr Haul...'

Diffoddwyd y fatsien gan y gwynt. Taniodd fatsien arall ac meddai â'i lais yn tynhau:

'a fu farw...'

Dywedodd y dyddiad hefyd, ond aeth ei eiriau ar y gwynt. Unwaith eto, bu'n rhaid iddo danio matsien arall ac erbyn hyn roedd yn crochweiddi:

'...yn ddiwrnod oed.'

Diffoddodd y fatsien a daeth y tywyllwch i'n meddiannu. Gadewais i'm côt syrthio; edrychais o'm cwmpas, ond roeddwn i'n dal yn y freuddwyd.

'Glywaist ti hynna, Eirlys?'

Safodd Elgan yn fud wrth ochr y bedd am rai munudau, yna sythodd yntau a dywedodd yn ddistaw:

'Wyt ti'n dallt, Eirlys? Wyt ti'n gweld be dw i'n ei weld?'

***

Clywaf lais Elis yn galw arnaf.

'Eirlys, wyt ti'n iawn?'

Deffrôf yn araf o'r atgof. Ymlaciaf eto; sylwaf fod fy nghorff yn dynn ac yn glymog. Mae cofio'r gorffennol yn boenus ar adegau.

'Ydw, dwi'n iawn.'

Rhof y llestri te o'r neilltu a thaclusaf fy nillad.

''Da ni am fynd dipyn pellach?'

Aros yn llonydd wnaiff Elis.

'Ai dyna dy gyfrinach di, Eirlys?'

'Na, mae na fwy i ddod, rhywbryd.'

'Tyrd ta, gei di adrodd y cyfan wrth i ni gerdded i'r abaty.'

Cerddwn ar y lôn fach sy'n wregys i'r ynys, yn gwahanu'r mynydd o'r dolydd. Troellwn yn araf rhwng y tai nes cyrraedd adfeilion yr abaty. Ar ôl crwydro drwy'r adfail awn i'r capel bach gerllaw ac eistedd mewn distawrwydd, yn syllu tua'r allor.

Rhaid i mi orffen y stori. Heddiw yw'r diwrnod. Rhaid i mi gael gwared o'r cyfan, fel neidr yn bwrw ei chroen: caf ddechrau o'r newydd eto wedyn.

★★★

Daliodd ati i fwrw eira yn y fynwent, yna aethom yn ôl ar hyd y llwybr i lidiart yr eglwys. Gafaelodd Elgan yn fy mraich eto a'm harwain drwy'r pentref. Ni wnes ymdrech i'w rwystro, roeddwn i fel toes yn ei ddwylo. Roedd o wedi parcio'r Land Rover wrth yr ysgol, ac ar ôl iddo ddal y drws yn agored i mi, eisteddodd y ddau ohonom yng nghragen oer y teclyn, yn gwylio'r eira yn dawnsio drwy'r düwch. Yna fel pe bai o'n ceisio dangos fod ei deimladau dan reolaeth, meddai:

'Reit, 'da ni'n mynd i Hafod yr Haul rŵan.'

Cychwynnodd yr injan, ac aethom ar y lôn fach i Ddolfrwynog, ac yna i fyny'r allt i'r giât mynydd. Roedd yr olwynion wedi dechrau sglefrio, a siglodd y cerbyd o ochr i ochr pan aethom ar hyd y tir gwastad. Erbyn i ni gyrraedd y mynydd roedd yr eira wedi dechrau setlo. Roedd y lôn wedi diflannu dan gwrlid gwyn, ond gwyddai Elgan lle i fynd drwy brofiad a greddf. Wedi cyrraedd, rhedodd y ddau ohonom i'r tŷ a chaeodd Elgan y drws yn dynn, gan selio'r bwlch dan y drws gydag un o'r hen gotiau mawr oedd yn hongian ar y wal. Roedd hi'n dywyll yno, a sefais yn llonydd tra goleuodd Elgan y gannwyll. Daeth yr ystafell i fodolaeth eto, fersiwn gwantan ohoni yn cronni'n araf yng ngolau gwelw'r gannwyll. Yna aeth Elgan ati i gynnau tân; es i eistedd yn un o'r cadeiriau wrth y grât ac estynnais fy nwylo tua'r fflamau newydd. Cleciai'r priciau a gwibiodd y gwreichion ar hyd y llawr cerrig.

Cynhesodd yr ystafell ac eisteddodd y ddau ohonom yn ein cadeiriau, heb yngan yr un gair. Caeais fy llygaid. Roedd cymaint wedi digwydd mewn cyn lleied o amser, roeddwn i'n teimlo'n swrth.

Estynnodd Elgan degell du oedd yn crogi ar tsiaen a'i osod dros y tân. Beth oedd hanes Huw, tybed? Dyna aeth drwy fy meddwl tra canai'r tegell. Be wnaeth o ar ôl mynd i'r tŷ, be ddywedodd Anwen wrtho? Mae'n rhaid ei fod wedi gwylltio'n gacwn.

Erbyn hyn roedd y tân wedi gafael yn iawn ac roedd y lle'n reit ddedwydd. Gwyliais gysgodion y dodrefn yn dawnsio ar y waliau, a synhwyrais sawl aroglau gwahanol yn crwydro fel rhes o gymylau bach yn hwylio heibio fy nhrwyn: mwsogl, rhisgl coed, surwch hen ddodrefn, huddygl, llwch llawr gwlyb ac oglau Jess yn sychu wrth ein hochr. Roedd 'na olwg llawn cyffro arni hithau hefyd, ac aeth Elgan i nôl sbarion, iddi gael rhywbeth yn ei bol. Yna, bu sgwrs ddistaw rhyngom. Gofynnodd i mi dro ar ôl tro a oeddwn i wedi gweld yr un geiriau ag o ar y maen, ac a oedd arwyddocâd i'r geiriau ar y bedd? Am ryw reswm roedd o'n coelio fod y baban o Hafod yr Haul – Fflur – wedi marw canrif yn union yn ôl, ar yr un diwrnod o'r flwyddyn â dyfodiad y ferch yn y wisg werdd. Cytunais fy mod wedi gweld y geiriau, ac eto ni allwn fod yn sicr chwaith. Roedd y golau'n wan, roedd y matsis wedi diffodd mewn chwinciad. Bu rhaid i mi gymryd ei air o. Ai dychmygu'r cyfan wnaeth o? Na, dydw i'm yn meddwl, ond fedra'i ddim coelio chwaith fod neges gyfrin ar y beddrod; dydi pethau fel'na mond yn digwydd mewn nofelau chwe cheiniog. Oedd Elgan yn ei iawn bwyll? Efallai fod y profiad o golli'r ferch wedi sigo'i feddwl. Neu efallai mai cyd-ddigwyddiad oedd y cyfan.

Distawodd y ddau ohonom eto, a gwrandewais ar y llonyddwch trwm y tu hwnt i'r drws. Yna syrthiodd talp o eira o'r coed, ar ben y to sinc, a bu bron i mi weiddi gan fraw. Roedd Elgan bron â chysgu ei hun, roedd hi'n bell wedi hanner nos. Ac Elgan yn hepian yn ei gadair, tynnais fy esgidiau ac es i'r gwely yn fy nillad a'm côt. Gwyddwn y byddai'n oer iawn yn y nos. Cysgais bron ar unwaith.

Rhyw ben yn y nos, deffrais yn sydyn. Sylwais fod Elgan yn cysgu'n sownd yn y gwely gyda mi. Roedd y gannwyll wedi diffodd, ac roedd hi'n dywyll iawn. Teimlais ei gorff yn erbyn fy nghlun. Roedd o'n gynnes wrth fy ochr; closiais ato. Yn araf iawn, es i gysgu eto ond pan ddeffrois yr eildro, teimlwn ei fraich yn gorwedd ar draws fy mronnau a'i law yn gafael yn fy ysgwydd chwith. Roedd wedi gafael ynof fel cariad yn ei gwsg, ac wedi cofleidio fy nghorff o dan yr hen *eiderdown* musgrell. Teimlwn yr un hen gariad tuag ato ag a deimlwn ar hyd fy oes. Cyfuniad o sawl math o gariad: cariad tuag at blentyn, cariad tuag at frawd, cariad tuag at ffrind mynwesol ac roedd math arall o gariad yno hefyd – hen, hen gariad wedi'i seilio ar oriau hir yng nghwmni rhywun, yn byw drwy'r un profiadau, yn edrych ar yr un cymylau ac yn cerdded drwy'r un caeau. Cariad fel cofnodion dyddiadur dros flynyddoedd maith, pob dydd yn ei dro – o ganiad cyntaf y ceiliog tan fachlud haul. Ond nid oedd Elgan a minnau wedi cusanu. Heblaw am y foment o ffolineb yn y llaethdy, dyma oedd yr agosa fuom ni erioed. Ni ddywedais i wrtho unwaith fy mod i wedi ei garu o'r dechrau, ac roedd hi'n rhy hwyr nawr.

Cysgais am sbelan eto, a phan ddeffrois roedd y golau'n dechrau cydio. Deuai disgleirdeb annaturiol drwy'r ffenest fach uwch fy mhen – golau oer diwrnod o eira, golau anfaddeugar.

Symudais law Elgan oddi arnaf yn ofalus a chripiais oddi yno fel llygoden. Rhois fy sgidiau ar fy nhraed, ac yna agorais y drws cyn ddistawed ag y medrwn. Disgynnodd lluwch bach o eira i mewn dros y rhiniog, a chwalodd y gwynder ar hyd y llawr. Caeais y drws fel pe bawn yn cau clawr ar lyfr. Gadewais Hafod yr Haul am y tro olaf, gan stelcian o bostyn i bostyn fel cath newydd ladd aderyn. Roedd yr eira'n flanced dros y mynydd, heb sathriad troed na phawen ynddo hyd hynny, er bod patrwm traed adar yma a thraw. Cerddais ar hyd olion gwan y Land Rover yn yr eira, yn edrych ar y wlad o'm cwmpas: pennau'r brwyn yn plygu dan iâ; un goeden unig ymhell ar y gorwel; ac ambell graig fawr ddu yn gwgu fel ceg ddi-ddant drwy'r eira oer. Disgynnais drwy'r ffriddoedd i Ddolfrwynog ac ymlaen eto am adref. Ar ôl cyrraedd, es yn syth i fy ngwely. Câi Dolfrwynog wneud hebof y diwrnod hwnnw. Doeddwn i erioed wedi mwynhau diwrnod ar y brenin drwy gydol fy mywyd; ond dyna'r hyn ges i y diwrnod hwnnw. Cysgais tan amser te ac nid oeddwn wedi gwneud hynny erioed o'r blaen. Roedd hyd yn oed Anwen wedi dechrau poeni, a doedd Anwen erioed wedi pryderu dros neb yn ei bywyd.

***

Cerddwn ein dau yn araf drwy'r grug a'r eithin i fyny'r gefnen ar ystlys Enlli. Mae'n cymryd amser, gan fod Elis yn gwanhau; gwelaf ef yn gafael yn ei ochr wrth i ni ymlwybro. Yna, cyrhaeddwn gopa'r mynydd bach ac eisteddwn ar faen yn y grug. Dwi'n gadael iddo gymryd ei wynt, dydi'r creadur bach ddim yn dda o gwbwl.

Edrychaf dros y môr tua Llŷn. Mae'r tir mawr yn edrych ymhell i ffwrdd, yn gorweddian mewn rhyw darth myglyd, glasaidd. Gwelaf golofn o fwg yn esgyn o bellteroedd y wlad; cwyd i'r awyr yn araf, ond nid oes modd gweld yr achos. Gall colofn o fwg pell edrych mor lledrithiol a rhamantus.

Syllaf ar yr adar yn hedfan oddi tanom, heb wybod ein bod ni yno. Teimlaf yn fyw. Mae'r awel yn fy ngwallt yn gryf ond yn foddgar, caeaf fy llygaid a gadawaf i'r llif cynnes anwesu fy wyneb.

Agoraf fy llygaid o dro i dro i edrych ar y môr oddi tanom. Gwelaf ei gyhyrau yn symud o dan ei groen eirin glas. Anghenfil aruthrol, difesur ydi o heddiw, yn nofio'n araf tua'r gorwel pell ac yn llyncu popeth ar ei ffordd. Clywaf wenyn yn mwmian ymysg y blodau bach. Daw syniadau bach cynnes yn rhibidirês drwy fy meddwl. Ai pererindod ydi pob bywyd? Be ydi lliw a siâp cariad? Oddi uwch yn llysoedd y cymylau, oes 'na dwrneiod ysbrydol yn dadlau drosom ni pob dydd?

Yna daw llais Elis i fy neffro.

'Wyt ti'n iawn, Eirlys?'

'Ydw, dwi'n hapus. Mae hi'n braf yma, buaswn i'n medru aros yma am byth.'

Af i sbrogian yn fy mag ac estyn brechdan iddo.

'Hwda. Caws a thomato, ydi hynny'n iawn gen ti?'

'Perffaith. Fy hoff frechdan.'

Rydan ni'n ciniawa'n hamddenol, wrth edrych ar yr olygfa.

'Yn tydi Cymru yn edrych yn bell i ffwrdd? Mae'n edrych fel gwlad estron, rhywsut,' medd Elis â darn bach o domato yn gorwedd ar ei wefus. 'Mae popeth yn edrych yn wahanol o'r môr, rhywsut!'

Mae o'n dweud y gwir. Nid ein Cymru ni yw'r wlad bell yn y mwg. Cymru'r dychymyg ydyw; gwlad sydd wedi gorwedd ar y dŵr ers oes oesoedd, ers ymhell cyn i'r Cymry gyrraedd. Dyw hi'n malio dim amdanom ni; nofia'n araf drwy'r tonnau, ddiwrnod ar ôl diwrnod, llygaid ynghau, tua'r seren bellaf yn y nen.

'Mi ddylen ni yrru neges mewn potel, dwyt ti'm yn meddwl?'

Dwi'n chwerthin. Mae'r dyn yn fy synnu bob dydd.

'A pha neges fysa ti'n rhoi yn y botel?'

'O, neges yn erfyn ar rywun i'm hachub o dy grafangau di, Eirlys, neges yn dweud dy fod ti wedi cynnau tân mawr dan y crochan a bod golwg digon llwglyd arna ti…'

'Ha ha, Elis, rwyt ti mor ddoniol! Ond wir, be fysa ti'n sgwennu ar y papur – os basa gynnon ni bapur a photel?'

Dwi'n aros am ateb tra aiff o ati i orffen ei frechdan.

Yna rhed ei law ar hyd ei wyneb, fel y gwna pobl sydd wedi blino, neu sy'n trio cael trefn ar eu meddyliau.

'Wsdi be faswn i'n licio'i wybod? Mi faswn i'n hoffi gwybod pwy yn union ydi Eirlys Williams. O le y daeth hi? Ydi ei stori hi'n wir? Oes yna leoedd o'r enw Dolfrwynog a Hafod yr Haul, oes 'na frodyr o'r enw Gwyn ac Elgan yn byw yno?'

Cwyd ei ben i edrych i'm llygaid. Erys y ddau ohonom felly am amser hir, yn llygadu ein gilydd. Ydi Elis o ddifri, ynte herian y mae o eto? Dwi'n ateb yn ofalus:

'Elis – ddaru hyn oll ddigwydd, yn union fel y dywedais i yn y llyfr coch. Mae'r cwbl yn wir.'

'Ac mi roedd 'na ferch go iawn, yn gwisgo gwisg werdd?'

'Oedd.'

'Eirlys, ai chdi ydi'r ferch yn y wisg werdd?'

Aiff curiad fy nghalon i'm clustiau.

'Gwranda Eirlys, mi gerddaist ti i mewn i 'mywyd i o nunlle, yn union fel y ferch yn y wisg werdd. Roeddet ti'n edrych am loches, yn union fel y ferch. Rwyt ti wedi fy swyno i, yn union fel swynwyd pawb yng Nghwm y Blodau. A'r lliw 'na – rwyt ti wastad yn gwisgo rhywbeth gwyrdd. Dwi'n teimlo, rhywsut, fod gen ti rywbeth i'w wneud â'i dyfodiad hi i Gwm y Blodau. Dywed wrtha i, Eirlys – ai chdi ydi'r cyfarwydd sy'n adrodd ei stori ncu ai chdi ydi'r ferch a gerddodd i mewn i fywyd y cwm?'

Trof oddi wrtho a syllaf ar y môr unwaith eto. Gwelaf fy hun yn cerdded ar hyd glan y môr ger fy nghartref newydd yn y dref. Gwelaf fy hun, fel gwybedyn bach, yn cerdded i mewn i'r twr yng ngardd Elis. Gwelaf Elis yn cistedd wrth ei ddesg fel hen dduw yn chwarae gwyddbwyll â bywydau pobl. Ydyn nhw'n bobl go iawn, y dyn a'r ddynes yn yr ardd? Ydyn nhw'n bodoli yn y byd hwn, ynte ffug bethau ydyn nhw, ysbrydion yng nghysgodion fy nychymyg?

Trof tuag ato unwaith eto, a gwenaf.

'Rwyt ti'n ponsio, Elis. Sut fysa morwyn fach fel fi yn medru palu clwydda fel'na? Tyrd o'na, neu mi fydd y cwch wedi hwylio.'

'Na, Eirlys – mae 'na un peth arall. Rwyt ti wedi sôn droeon am ryw gyfrinach ddu, rhywbeth drwg iawn a ddigwyddodd yn ystod y cyfnod hwnnw. Wyt ti am ddweud wrtha i be ddigwyddodd?'

'Iawn Elis, mi ddywedai wrthyt ti. Mi laddes i ddyn, dyna ddigwyddodd. Wyt ti'n hapus, rŵan?'

Mae'n rhyddhad, gallu dweud wrtho; mae un frawddeg foel wedi datgloi rhywbeth yn fy mhen i, fel cwlwm yn datod. Ddylwn i fod wedi dweud wrth rywun ynghynt. Dwi'n ffureta yn fy mag, ac wedi nôl lwmpyn o siocled o'i du mewn, torraf ef yn ei hanner a rhof y gweddill i Elis. Cyffur, dyna be dwi isio. Gadawaf i'r pleser donni drwy fy nghorff.

'Ddigwyddodd hi fel hyn, Elis. Wyt ti'n gwrando?'

Dwi'n siarad mewn dull ffurfiol, trefnus, fel rhywun yn dangos y ffordd i ddieithryn.

'Pan ddaeth Huw i'r drws y noson honno, doeddwn i ddim adref wrth gwrs. Atebodd Anwen y drws, a dywedodd wrtho 'mod i wedi mynd efo Elgan. Wna i byth wybod sut argraff wnaeth hynny arno, ond fe aeth i ffwrdd ar frys. Welodd neb mohono ar ôl hynny. Y bore canlynol gadawodd y cwm, ac aeth ar ei ben i Wrecsam. Ymunodd â'r fyddin. Roedd y rhyfel wedi gorffen, ond roedd y fyddin Brydeinig yn dal yn brysur iawn dros y byd. Un o'r achosion hynny oedd ffrwgwd yn Cyprus, dydw i'm yn gwybod y manylion. Gyrrwyd Huw yno, i ddreifio loris – a dyna sut y cafodd ei ladd. Doedd o ddim wedi cael lot o brofiad, ac un diwrnod, pan oedd o'n dreifio ar hyd ryw lôn fach gul yn y mynyddoedd, collodd ei afael ar bethau ac aeth y lori dros y dibyn. Lladdwyd o ar unwaith, mae o wedi'i gladdu yno. Wnaeth o ddim cyffwrdd mewn gwn unwaith. Dyna i ti eironi ofnadwy, yndê?'

A dyna hi, diwedd y stori. Dydi fy nghyfrinach ddim yn teimlo mor ofnadwy o ddu, unwaith dwi wedi adrodd y stori.

'Ac rwyt ti wedi teimlo'n euog ers hynny, do?' hola Elis.

'Wrth gwrs fy mod i. Fuasai'r creadur erioed 'di mynd i Cyprus heblaw amdana i. Roedd be wnes i'n anfaddeuol, roedd ymddwyn fel gwnes i cystal â lladd y dyn fy hun efo gwn.'

Dwi'n clirio'r geriach ac yna'n sefyll. Mae hi'n amser mynd.

Rwyf wedi cyfaddef y cwbl, ac rydw i'n teimlo'n well. Caiff Elis feddwl be licith o rŵan, mae o'n gwybod popeth amdanaf. Nid oes gen i gyfrinach yn y byd rhagor. Mae hynny'n rhyddhad.

Af i lawr y llwybr, gan edmygu'r olygfa islaw; yr ynys yn disgyn ac yn ymestyn tua'r môr, y caeau bach, y tai a'r cychod, y morloi yn galaru yn y pellter. O dan fy nhraed, mae llwch y seintiau, a haen ar ôl haen o hanes. Hoel traed pobl fel fi – rhai sydd wedi marw'n barod; pobl â phoenau mawr a bychan, rhai wedi dod yma i gyffesu, rhai wedi dod yma i farw.

Ond dydw i ddim wedi dod yma i farw. Rwyf yma i ddechrau o'r newydd.

Trof, a gwelaf fod Elis wedi syrthio'n ôl. Mi fydd o'n cael ei op mewn tridiau, ac nid o flaen amser. Mae o'n gwanhau fwyfwy pob dydd. Saif y ddau ohonom yn gwylio ein gilydd. Arhosaf amdano, yna awn yn araf tua'r cwch.

Awr wedyn, rydym ar y môr eto. Mae'r antur wedi dod i ben. Gwyliaf yr ynys yn cilio'n ôl i'r pellter, yna mae'n diflannu – fel y gwnaeth Huw. Af dros hanes y dydd yn fy meddwl, yn pwyso a mesur be ddigwyddodd. Ydi Elis yn amau fy stori, ac os ydi o, wnaiff hynny newid ein perthynas? Dim ots, wir. Roedd y rhyddhad a ddaeth yn sgil y cyffesiad wedi esmwytho f'ysbryd. Ond synnais fy hun 'mod i wedi adrodd stori Huw mor ddiemosiwn, mor ddigynnwrf. Y gwir yw y byddaf yn teimlo'n euog am weddill fy oes.

Pennod 9

DAETH AMSER NOSWYLIO.

Llais o'r gorffennol ydi hwn. Erbyn i chi ddarllen hanes Elgan a'r ferch yn y wisg werdd, byddaf wedi mynd ar y fordaith olaf. Mae'r ddau lyfr coch yn llawn bellach, dan glo mewn blwch arbennig a roddwyd i mi gan Elis: blwch bach du â sêr arian drosto.

Cofiwch fi, wnewch chi? Ewch i Gwm y Blodau a gofynnwch amdanaf. Cerddwch drwy'r pentref bach, heibio'r milwr efydd sy'n pendwmpian yn y sgwâr, ewch i'r fynwent i weld y beddrod lle canfuwyd y ferch am y tro cyntaf.

Cerddwch i fyny'r lôn fach am Ddolfrwynog, ewch yn y gwanwyn pan fo'r blodau mân yn coluro'r cloddiau. Cnociwch ar y drws, gofynnwch am gael sefyll yn y gegin i wrando ar y tegell yn suoganu a'r hen gloc wyth niwrnod yn tipian yn y gornel.

Ewch i'r *dairy* i weld os clywch fi'n canu uwchben y geriach godro; ewch at ddrws y briws i weld os clywch fi'n galw ar yr ieir i'w bwydo. Yna cerddwch drwy'r dolydd i weld yr hyn welwn i bob dydd. Dringwch i'r mynydd i glywed y gylfinir a'r ehedydd, ewch draw i Hafod yr Haul i weld os oes mwg yn codi o'r simdde, a throchwch eich traed yn y pwll mawr du. Ewch i weld y ddwy fedwen arian ar y naill ochr i'r bwthyn, y rhai a blannwyd gan Elgan ar ôl iddo symud yno i fyw ar ei ben ei hun.

Gofynnwch i'r cymdogion os oes rhywun yn cofio Eirlys, y forwyn fach a fu'n gweini yn Nolfrwynog drwy gydol ei hoes. Gofynnwch iddynt am ddyfodiad y dduwies fach werdd i'r fro. Ewch i weld os ydi f'ysbryd i yno'n rhywle, ewch i weld os oes 'na blant bach Cymraeg yn chwarae ar iard yr ysgol.

Ond cyn mynd, rhaid adrodd hanes Elis.

Es i'w weld o heddiw. Roedd yr ysbyty yn codi ofn arna i. Ogleuon mor wahanol, mor annaturiol. Tair peipen yn mynd a dod o'i wely, a dynes yn eistedd wrth erchwyn ei wely. Cododd i fyny pan gyrhaeddais, ac estynnodd ei llaw. Ei ferch oedd hi. Roedd hi'n glên iawn, mynnodd roi ei sedd i mi.

'Perffaith,' meddai wrthyf. 'Gewch chi gymryd fy lle i am dipyn, rydw i bron â marw isio paned.'

Chwarddodd Elis, a dywedodd· 'Na, fi sydd bron â marw, de?'

Ac yna deallodd y ferch be oedd hi newydd ddweud, a chwarddodd hithau hefyd.

Eisteddais gydag o mewn distawrwydd am sbelan, yna bu trafodaeth am yr op. Roedd o mewn cryn dipyn o boen, ond er hynny roedd y doctoriaid yn eitha hapus. Ond nid oedd am drafod ei iechyd, roedd rhywbeth arall ar ei feddwl.

'Gwranda Eirlys, sgen ti awydd mynd am drip bach arall?'

'Wel oes siŵr, unwaith y byddi di wedi gwella.'

'Ardderchog, fysa hynny'n fy siwtio i'r dim. *Period of recuperation* maen nhw'n alw fo yma. Maen nhw isio i mi fynd am wyliau i'r haul i mi gael gwella.'

'Lle roedd gen ti mewn golwg? Wna'i ddechrau safio.'

Sylwais fod fy llaw i wedi symud dros ei law yntau, a bod ei groen yn oer.

'Beth am y Med? Ynte sgin ti awydd mynd ar y *Queen Mary* i New York?'

'Rargian Elis, fasa'n rhaid i mi ennill y pŵls cyn mynd i fanno, a dydw i'm yn gwneud y pŵls.'

'Paid â phoeni am hynny, wnawn ni sortio fo rhywsut.'

Allwn i ddim cymryd ei bres o, roedd hynny'n sicr, ond roedd meddwl am drip arall yn gyrru ton ar ôl ton o gyffro drwy fy nghorff. Cyfle i weld y byd mawr. Cyfle i weld cymaint o bethau newydd!

'Gawn ni weld,' meddwn. Allwn i ddim fforddio'r fath beth, breuddwyd oedd y cyfan.

'Wel paid â meddwl gormod. Buaswn i'n licio cael dy gwmni di. Dwi'n licio bod efo chdi, rydan ni'n cael hwyl, tydan?'

Arhosais yn fud. Doedd neb wedi dweud pethau neis fel'na wrtha i o'r blaen.

'Wyddost ti be, Eirlys, dwi wedi cael amser i feddwl am betha wrth orwedd yn y gwely 'ma. Does gen i'm lot iawn o amser ar ôl ar y ddaear 'ma, hyd yn oed os y bydda i'n gwella, a dwi'n reit benderfynol o wella, ydw wir. Ben bore ma, ar ôl i'r nyrs fy neffro, daeth rhyw syniad i 'mhen. Doeddwn i'm 'di deffro yn iawn, felly hanner breuddwydio oeddwn i mae'n siŵr. Ond meddwl ron i, pan ydan ni'n ifanc, 'da ni'n disgwyl i rywbeth ddigwydd, 'da ni'n gobeithio cyfarfod rhywun newydd neu'n gobeithio gweld rhywle newydd bob dydd. Ac yna, mwya' sydyn, rydan ni'n hen ac yn eistedd yn ein cadeiria yn gobeithio na wnaiff ddim byd ddigwydd.'

Gafaelais yn ei law, i'w chynhesu. Edrychais ar y gwythiennau yn croesi'r croen ar ei fraich, fel ffyrdd bach y wlad yn mynd hwnt ac yma. Roeddent wedi cludo cymaint o waed dros y blynyddoedd. Be oedd ynddyn nhw rŵan? Byddin fach o filwyr *penicillin* yn wynebu lluoedd du y clefyd?

'Ond dydw i'm yn barod i wneud hynny eto, Eirlys. Dydw

i'm yn barod i eistedd mewn cadair a disgwyl am ddydd y farn. Weithia mae'n rhaid cymryd siawns. Ar ôl cynnwrf ieuenctid, gambl ydi'r cyfan. Mae gennym ni ddewis, Eirlys, a dwi am ofyn i ti wneud dewis.'

Caeodd ei lygaid a gofynnodd am ddiod o ddŵr. Gwelais wyneb y ferch yn ffenest y drws, ac yna diflannodd eto. Daeth bowt o besychu, ac yna tawelodd yr ystafell.

'Os 'da ni am fynd am *cruise* go iawn, mi ddylan ni briodi gynta. Bydd rhaid i ni rannu stafell, a dydw i'm yn mynd i ofyn i chdi wneud hynny heb fod yn briod. Be ti'n ddweud?'

Codais fy wyneb tuag ato, i weld os oedd o ddifri.

Yna teimlais fy hun yn esgyn o'r ystafell ac yn hedfan drwy'r ffenest fel aderyn bach. Teimlais fy hun yn nofio ar donnau'r awel, teimlais y gwynt yn siglo f'adenydd. Yna disgynnais eto; glaniais ar gangen y tu allan i'n ffenest ac edrychais drwy'r gwydr. Gwelwn ddyn a dynes yn eu hoed a'u hamser yn eistedd dan olau llachar a'u dwylaw ymhleth. Gwelwn ddau yn profi rhywbeth gyda'i gilydd ac nid ar wahân. Gwelwn fod dewis gen i, a gwyddwn be wnawn i. Roeddwn yn hollol sicr – am y tro cyntaf erioed. I garu'n iawn mae'n rhaid ofni colli – ac heddiw, roedd gen i ofn colli Elis.

Bydd rhaid i mi ddefnyddio iaith loyw, bydd rhaid i mi roi pob gair yn ei le yn daclus ac yn gywrain. Bydd rhaid i mi olchi a smwddio fy nheimladau, bydd rhaid i mi lanhau ystafell fawr f'enaid cyn cydgerdded efo'r dyn hwn ar hyd llwybrau'r byd. Nid llun hardd mewn stafell dan glo ydi cariad, ond rhywbeth syml, beunyddiol fel llaw ar ysgwydd a gair mwyn o'r cysgodion; tegell yn mwmian a chloc yn tipian.

Dyn a dynes mewn ystafell ddiarth, ymhell o brysurdeb

y byd. Daeth awr dyngedfennol yn eu bywydau. Daeth yr amser i ddewis pa lwybr i ddilyn.

Ac yn awr, gwelaf ei gwefusau hi'n symud. *Beth am y gorffennol*, meddai? *Beth am y dyn a laddwyd?*

Ateba'r dyn: *Ei benderfyniad o oedd mynd. Nid y hi a'i lladdodd. Ffawd a'i lladdodd.*

Rwy'n gweld y ddynes yn gwyro ei phen. Rwy'n gweld ei gwefusau hi'n symud eto. *Pa ddyfodol oedd mewn golwg?*

Daw'r geiriau drwy'r gwydr tuag ataf. Gwn beth mae'n ei ofyn, ac yna ateba hithau gydag un gair: *Gwnaf.*

Byddant yn priodi yn y *registry*, dim byd crand. Bydd plant y dyn yno, a llond llaw o'i gyfeillion. Bydd Anwen yno a Dic Deryn efo tusw o flodau gwyllt. A bydd Meri Maes y Llan yno oherwydd fod Meri yn mynd i bob priodas, ac addawyd iddi un diwrnod ymhell yn ôl y byddai'n cael mynd i'r briodas hon. Yno hefyd y bydd Elgan, a Gwyn, wrth gwrs – gyda'i wraig Gaynor a'u merch fach gyfareddol, efo'i gwallt cyrliog a'i dull hudolus. Bydd hi mewn gwisg werdd, ac o amgylch ei gwddw bydd cadwen arian – hen, hen gadwen a adawyd un bore yn yr hafod ar y mynydd.

Daeth y ferch fach hon i'r byd ar fore o wanwyn pan oedd y wybren yn las, las a'r Cennin Pedr yn yr ardd yn felyn, felyn.

A'r enw a roddwyd iddi oedd Fflur.

Hefyd gan yr awdur:

£8.95

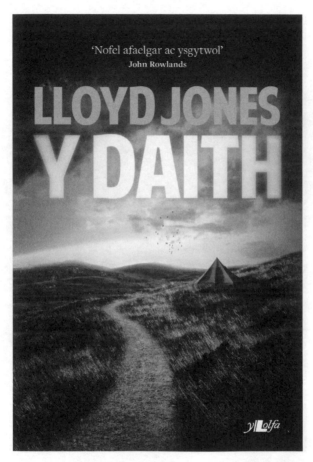

'Nofel afaelgar ac ysgytwol'
John Rowlands

LLOYD JONES
Y DAITH

y Lolfa

£7.95

Hefyd o'r Lolfa:

'Nofel dreiddgar, annwyl a doniol i oes drist Brexit.' RHYS IORWERTH

Y BWRDD
IWAN RHYS

y Lolfa

£8.99

Holwch am bris argraffu!
www.ylolfa.com